O2

Beretta, c'est un joli nom

Révision : Élyse-Andrée Héroux
Maquette et couverture : Ann-Sophie Caouette
Infographie : Chantal Landry
Crédit photographique : Schutterstock

ISBN : 978-2-9924402-01-6
Dépôt légal – Bibliothèque et Archives Nationales du Québec, 2014
Dépôt légal - Bibliothèque et Archives Canada, 2014

Imprimé au Québec

Pierre Gagnon

Beretta, c'est un joli nom

Roman

Du même auteur

5-FU, L'instant même, 2005

C'est la faute à Bono, Hurtubise, 2007

Je veux cette guitare, Hurtubise, 2008

Mon vieux, Hurtubise, 2009

À mes parents...

Prologue

Dans un monde idéal...

Il serait convenu dès le départ que la maman n'abandonne pas le papa et que le papa fasse de même à l'égard de la maman. Que les enfants ne deviennent ni obèses ni chétifs et qu'ils n'aient pas à vivre dans un village où le vent s'acharne contre tout ce qui tient debout. Que les porcs, biologiques ou autres, puissent à l'occasion se balader à la ville accompagnés de leur maître sans avoir l'obligation de se procurer un permis spécial au préalable. Que les pédopsychiatres ferment boutique et optent pour un métier autre. Que les tricycles servent à rouler et les cerfs-volants à voler. Un point c'est tout.

Que l'intimidation soit reconnue pour être sans utilité aucune. Que les amis de nos parents boivent raisonnablement. Que les fenêtres des sous-sols demeurent dégagées en tout temps afin que l'on puisse voir ce qui s'y déroule. Que les parents avocats gardent leurs portables ouverts durant la nuit dans l'éventualité qu'une de leurs filles jumelles – et pourquoi pas les deux – cherche à les joindre. Que les pistolets n'aient pas leur place dans les sous-vêtements des garçons ou encore dans le sac à main des filles. Que les jeunes soient autorisés à jouer aux dominos dans les endroits publics sans risquer l'interrogatoire d'un policier. Que les chauffeurs de taxis soient tenus d'utiliser leurs rétroviseurs pour s'assurer des conditions de la circulation à l'arrière et pour rien d'autre. Que les joints ne soient pas en vente libre, et que Pepsi et pizza ne s'obtiennent que sur ordonnance du médecin.

Et que, dans ce monde idéal, tout parent ait le devoir d'aviser son enfant que la vie est un fruit à consommer de façon mesurée. Et que tenter de lui trouver un sens à tout prix en altère le goût, au point de rendre ce fruit impropre à la consommation.

Fuentes

— Zé m'appelle Fuentes.

— Moi, c'est Rose. Je m'appelle Rose.

— Je sais...

Fuentes retient un petit rire nerveux. Une réaction qui, chez d'autres, masque un mauvais coup ou encore une pensée tordue. Je le saurai sous peu, Fuentes ne semble pas du genre à garder pour lui ce qui lui traverse l'esprit. Il sort de la voiture, la contourne par l'avant en laissant traîner sa main sur le capot comme le font les vendeurs de bagnoles de prestige. Sauf que cette bagnole-ci est pourrie d'un pare-chocs à l'autre. Peu importe, ça ressemble à une caresse, et c'est bon à regarder comme à recevoir, une caresse. Il se déplace en faisant de légers bonds, comme s'il marchait pieds nus sur un bitume brûlant. Il s'avance jusqu'à moi, me regarde droit dans les yeux et dit :

— Zé t'imaginais plus grosse encore !

Sa bouche reste ouverte bien qu'il ne parle plus. Je constate qu'il lui manque plusieurs dents, c'est facile à voir, et c'est d'ailleurs tout ce que je vois pour l'instant tellement je suis en état de choc. Personne ne m'a parlé de cette façon avant aujourd'hui, jamais. Sans retenue, sans détour, avec franchise. Personne, pas même mon père. Surtout pas mon père. J'observe Fuentes comme le ferait une victime d'agression. Je cherche à mémoriser ses traits, l'expression de ses yeux. Si j'avais à faire la description de mon assaillant, je dirais : chétif, plusieurs dents en moins, cheveux lissés vers l'arrière, et tout le charme du garçon venu de l'équateur. Une beauté sauvage que l'on retrouve aussi bien sur une affiche vantant un jean griffé qu'à la plonge dans un restaurant minable.

« Zé t'imaginais plus grosse encore ! » Voilà comment il dit les choses, Fuentes le beau fauve. Sans détour. Et comme si cela ne suffisait pas, le voilà qui en rajoute :

— Il a une drôle de gueule, ton chien !

Alors moi :

— C'est pas un chien, c'est une truie !

Lui, de nouveau :

— Je sais.

Il se penche et soulève l'animal d'un geste souple. On dirait qu'il a fait cela toute sa vie. Il le retourne comme une crêpe, jette un coup d'œil entre les pattes de derrière, le fait pivoter de nouveau, puis le presse contre sa poitrine. Il le tient là, pattes pendantes par-dessus un bras replié en un rebord protecteur. La truie semble en pleine confiance, jamais elle n'a été aussi sage que maintenant.

Avec l'attention du jeune papa pour son poupon, Fuentes ouvre la porte du côté passager et pose l'animal sur la banquette arrière. « Brave petit », dit-il en lui tapant gentiment la tête. Ensuite, Fuentes s'écrase au sol dans la position de la grenouille et s'attaque au mécanisme de réglage du dossier du siège du passager. Il travaille sans outil, il fait tout avec les doigts. Fuentes sait que je l'observe.

— Pour qué tu sois plus confortable, dit-il, un œil fermé et l'autre à demi ouvert, s'entêtant à maintenir entre ses lèvres la cigarette dont la fumée l'aveugle.

Le bras tendu en guise de rampe, il m'invite maintenant à monter à bord. Je m'y agrippe comme on s'agrippe à sa dernière chance et je prends place. J'ai l'impression d'être l'invitée à qui on réserve la meilleure part. En s'aidant du genou, Fuentes referme la portière depuis l'extérieur. Je l'entends qui murmure : « Commé ça, elle ne va pas s'ouvrir en route. » Il a raison de se méfier. La voiture, qu'on croirait sculptée à même un bloc de rouille, suggère qu'elle peut perdre une pièce à tout moment, même lorsqu'elle ne roule pas.

Le moteur est maintenant en marche. J'essaie de me détendre, de faire bonne impression, de prendre l'attitude de celle qui a l'habitude des longs voyages. Je voudrais qu'il comprenne que je ne paniquerai pas une fois franchi le premier kilomètre, pas plus après le kilomètre dix, cent... Il n'a pas à s'en faire. Je l'observe du coin de l'œil. Fuentes ne donne pas l'impression de quelqu'un que ma présence inquiète. Pour tout dire, Fuentes semble ne s'inquiéter de rien ni de personne. Je tente tout de même d'analyser le personnage. Un garçon rustre mais qui sait se montrer attentionné, qui affectionne les animaux et aussi les grosses. Un garçon déroutant. Il y a un moment il annonçait tout sauf la galanterie, et le voilà prévenant comme s'il avait l'intention de me demander en mariage. La première impression est-elle si souvent qu'on le dit la bonne ?

La voiture se met en mouvement. Nous quittons mon patelin et ses terres poussiéreuses au milieu des rafales à déraciner des montagnes. Nous roulons à bord d'une bagnole à l'agonie qui promet pourtant un avenir. Un mélange d'odeurs d'essence, de fumée de cigarette et de vanille flotte dans l'habitacle. Mais voilà que plus nous prenons de la vitesse, plus les odeurs s'évaporent. Il ne reste que l'arôme de la vanille, léger, qui donne espoir. Il est des cas où le mauvais finit par s'étioler avec le temps, laissant tout l'espace au meilleur.

Le véhicule doit être âgé d'une dizaine d'années tout au plus. Il en paraît le double, voire même plus encore. Le sentiment de sécurité qu'offre l'habitacle des modèles récents est ici totalement absent. C'est même plutôt l'inverse. Je veux bien croire à l'utilité de la ceinture, mais après être parvenue, non sans mal, à boucler la mienne, je me demande comment je parviendrai à la détacher. La carrosserie a depuis longtemps perdu son lustre, et on peut s'imaginer qu'un jour, ses courbes étaient agréables à regarder ; ce n'est certainement plus le cas aujourd'hui. Les secousses et les vibrations passent directement du pavé aux sièges. Les amortisseurs de cette voiture ne sont que des paroles. Elle tangue comme un vieux rafiot à chaque occasion que lui en donne la route. Ce véhicule est un tombeau muni d'une transmission automatique... Je sais que je devrais craindre chacun des kilomètres à venir, et pourtant, au contraire, un sentiment de grande liberté me transporte. La crainte est un songe que j'ai laissé derrière moi, sur le bas-côté de la route. Seulement nous trois à présent, dans un parfum de vanille. Je me laisse emporter.

Pendant ce temps, à l'arrière, le petit est en recherche active de nourriture. Il repousse du museau un amoncellement de bouteilles en plastique, vides. Les contenants sont si nombreux qu'ils recouvrent à eux seuls la presque totalité de la banquette. C'est à se demander si Fuentes n'en fait pas le commerce. J'en retrouve également sur le plancher avant ainsi qu'entre nos deux sièges. La truie fait tout un bazar, mais rien de tout ça ne contrarie Fuentes. Il sourit, défiant la route et ses imperfections, qu'il fait passer derrière en écrasant l'accélérateur. Il siffle un air joyeux, rate une note sur deux à cause des espaces entre ses dents. Les mélodies et leurs silences forcés mettent tout de même de la gaieté dans l'air. Puis il m'offre la cigarette qu'il vient tout juste d'allumer. Et je m'empresse d'accepter, histoire de lui faire comprendre que je suis bien ici, avec lui, prête à tout partager, et qu'il pourra compter sur moi jusqu'à la fin de l'aventure, bien que nous n'en soyons qu'au tout début. C'est le moment de faire et de dire les vraies choses.

— Vraiment, tu m'imaginais plus grosse ?

— À cause de la photo, oui...

Puis il se tait. Continue de regarder droit devant, comme si le dossier « poids » était désormais clos et qu'il était inutile de revenir sur le sujet. Saleté de photo, je me dis, j'aurais mieux fait d'écouter ma conscience et de ne jamais la diffuser.

— Tout ça c'est la faute de Cindy !

D'un bond, il se retourne en direction de la truie et lance :

— Mauvaise fille, Sandy !

Je fais :

— Non, ce n'est pas d'elle qu'il s'agit. Et puis c'est pas Sandy, mais Cindy. C'est Cindy qui m'a convaincue de faire paraître ma photo sur le Web. Une amie. Une amie qui...

Et je m'arrête là, hésitant à lui parler de la grande beauté de Cindy, de sa façon d'embrasser, et tout et tout, des fois que l'idée lui prendrait de me renvoyer et de la prendre à ma place. Il balance la tête d'avant en arrière pour me signifier qu'il a tout pigé de la photo, de l'amie et du prénom.

«Je sais,» dit-il, alors qu'il n'en sait pas plus que ce qu'il a pu tirer de nos chats nocturnes.

«Je vis seule avec mon père – je suis obèse – je recherche ma mère...»

Je n'en connais pas davantage au sujet de ce prince charmant qui dit s'appeler Fuentes et qui a la peau foncée. L'essentiel se résume à une seule phrase : «*Je sais où elle se trouve.*» Une phrase qu'il m'avait écrite sur le Web une certaine nuit, alors que nos échanges concernaient Hélène, ma mère. Quand j'avais lu ces mots-là, j'avais réagi sur-le-champ avant qu'une panne du genre *Explorer-a-cessé-de-fonctionner* vienne tout faire foirer. Je m'étais empressée de répondre que j'étais très intéressée à le rencontrer... le plus rapidement possible ! À ses conditions ! Je ne ferais pas d'histoire, il avait ma parole. «*Et je n'en ai qu'une !*» Hélène et moi allions nous rencontrer. Voilà tout ce qui comptait à présent. Personne avant lui ne m'avait fait pareille proposition, personne. Pas même ceux qui disaient être là pour mon bien. Les spécialistes, les profs, mon père...

Il avait fixé les modalités de la rencontre. Tout y était, la journée, l'heure, le modèle de sa voiture. Je n'avais qu'à spécifier l'endroit... Du coup, je m'étais retrouvée à décrire un lieu sans relief, au milieu d'un espace désertique. J'avais l'impression d'évoquer un mirage. «*Je trouverai*», avait répondu mon brave chevalier.

«Moi, je suis de Quito», vient de dire Fuentes en fourrant son paquet de cigarettes dans la poche intérieure de sa veste. Une veste défraîchie. On dirait du lin, de couleur blanc ocre. Le contraste avec la peau de Fuentes fait qu'on voudrait toucher cette peau, y goûter. J'ai cru voir que la poche intérieure était déchirée, pendante même. Elle n'aura pas su résister aux fréquents passages du paquet de cigarettes. Fuentes fume comme la cheminée d'une usine.

Il pose ses mains sur le volant et dit :

— Mes parents sont venus aussi, mais ils sont repartis parcé qu'ils n'avaient pas les papiers, tu vois... Zé vais repartir aussi... Plus tard, mais il me faut l'argent d'abord.

Il entreprend ensuite de m'éclairer sur les disparités qui existent entre la résidence permanente et la citoyenneté. Plus il explique, moins je comprends. C'est bientôt à mon tour d'y aller de mouvements de tête d'avant en arrière. Pour peu, je serais tentée de répondre : « je sais », alors que je ne sais rien de rien. En réalité, c'est le timbre de sa voix que j'écoute. Les mots et leur signification n'ont pour moi que très peu d'importance. L'intérêt est ailleurs. Le charme d'une voix. Une musique qui vient d'ailleurs, jouée sur un instrument d'origine, usé mais irremplaçable. La fumée du tabac est la grande responsable de ce timbre rauque et enivrant. Le tabac fait mourir les hommes mais leur donne du style. Quand Fuentes dit : « Moi, zé reste », je n'ai qu'une envie, celle de répondre : « Moi z'aussi. »

Après plusieurs kilomètres d'écoute et de réflexions, je me convaincs de la chose suivante : Fuentes parle vrai. Crûment, peut-être, mais sans hargne. Surtout pas comme le font certains de mon école, spécialistes du compliment moqueur et de la grimace qui imite le sourire. Fuentes n'est pas de ceux-là. Les vibrations positives que je ressens maintenant ne peuvent pas me tromper. Fuentes est honnête. Tout le contraire de l'arnaqueur dont il emprunte le style. D'ailleurs plus le temps passe et plus ma confiance se bétonne. On dirait que la truie partage mes impressions. Calme et silencieuse, elle jette ici et là un coup d'œil vers l'extérieur. Elle est déjà loin de chez elle. Couchée de tout son long sur la banquette, ses yeux se ferment, s'ouvrent aussitôt, puis se ferment de nouveau. Bientôt, malgré le chemin raboteux, elle se laisse aller à un petit roupillon. Pas question de roupillon pour moi. Je plane tout éveillée, les yeux grands ouverts, à n'en pas perdre une miette. Il y a au premier plan les mains de Fuentes sur le volant, tout juste derrière le paysage qui change, mais change lentement... Et à travers les émanations de vanille, un souhait, celui que l'on ne s'arrête plus jamais.

J'attends encore un peu... Bientôt, je vais lui raconter. À propos de moi... Pas tout, bien sûr, mais les événements depuis ce matin. Le temps passé à l'attendre, à espérer, à tout laisser derrière. Ce faisant, je prendrai bien garde de ne pas être l'une de ces femmes qui, à peine montées dans la voiture de leur mari, se mettent à jacasser sans savoir s'arrêter.

Je lui raconte :

Que le matin même j'ai quitté la grange en compagnie de la truie qui m'a suivie sur les talons. *Que* le sac porté en écharpe sur mon épaule cherchait continuellement à s'envoler tellement il contenait peu : deux camisoles, deux paires de petites culottes, mon tube de crème amaigrissante, ainsi qu'une carte de la Croix-Rouge signée de ma main et cochée à l'endos : « *En cas de besoin, svp me réanimer.* » *Que* dans la fébrilité du moment j'ai enfilé un pantalon de sport en coton gris et orné de motifs en forme de cœur brodés sur toute la longueur de la jambe, depuis le pied jusqu'à la hanche. *Que* j'ai opté pour un coupe-vent de nylon trop grand d'une taille, de ceux que mon père garde suspendus près de la porte et qu'il enfile pour sortir en urgence ou encore pour disposer des rebuts. Le vêtement est usé par le soleil, au point d'avoir perdu son coloris. Il fait penser à un drapeau déchiqueté battant au vent en haut d'un mât. *Que* cette tenue ainsi que ce sac presque vide me suffisent, et qu'à certaines occasions, l'espoir constitue le bagage essentiel, le seul, le vrai. *Que* de minces souliers de toile à la semelle beaucoup trop fine pour convenir aux longues randonnées chaussent mes pieds, et que cela revient à toutes fins utiles à marcher pieds nus. *Que* j'ai malgré cela parcouru tout le trajet d'un pas énergique, prenant garde de ne pas me fouler une cheville en marchant sur les failles du pavé. *Que* les habituelles voitures conduites par les habituels voisins ont passé leur chemin comme elles le font tous les jours. *Que* la route se voulait droite et grise. *Que* les vents de la nuit avaient balayé cette même route en y laissant ici et là des accumulations de terre et de poussière contre toutes sortes d'objets abandonnés : pièces de machines agricoles, quartiers d'arbres échoués, amoncellements de pierres formant des buttes de différentes formes. *Que* ce décor fait partie de la vie des habitants de la région et que personne, jamais, n'avait cru bon de déplacer ces objets, jusqu'à ce que quelqu'un leur dise un jour que cela constituait leur folklore. *Que* le premier kilomètre de marche franchi, ma poitrine s'est mise à me faire mal et que des ampoules se sont formées sur mes talons. *Que* je me suis imposé un arrêt, le temps de laisser mon cœur reprendre son rythme normal. *Que* la truie s'est arrêtée elle aussi, attendant l'ordre de rebrousser chemin et de rentrer à la maison. *Que* dès cet instant, j'ai fixé mon regard droit devant, tentant d'y voir le plus loin possible, et qu'il m'est apparu un point lumineux s'avançant mètre par mètre, comme si, de la plus lointaine galaxie, une étoile avait choisi ce chemin de campagne plutôt que l'espace afin de venir à ma rencontre. *Que* l'attente est rapidement devenue insupportable parce qu'interminable, et que j'ai multiplié les gestes d'impatience, tirant nerveusement sur la base de mon blouson ou replaçant sans arrêt les mèches de mes cheveux malmenés par le vent. *Que* je suis soudainement devenue irritable, sermonnant la truie pour un rien : « Sois sage, maintenant, ça suffit », alors qu'elle n'avait strictement rien fait de répréhensible. *Que* l'étoile s'est peu à peu transformée en bagnole, jusqu'à ce que cette bagnole se retrouve à moins de cent mètres de moi, moins de dix mètres, et encore moins, et que la fenêtre s'abaisse et que j'entende : « Zé m'appelle Fuentes. »

Profitant de cette pause, Fuentes dit :

— On dirait qu'ils sont tous morts !

— Qui donc ?

— Ceux de ton village.

Son observation est juste. Elle me fait prendre conscience que mon père et moi, nous n'avons pas cessé de nous endeuiller depuis le jour où nous avons mis les pieds ici. Les champs, le vent, la poussière. Et que si Fuentes ne s'était pas manifesté, je serais devenue vieille avant le temps. Vieille, et orpheline de mère.

J'ignore l'âge de Fuentes, mais de façon certaine il a « l'âge de la jeunesse », comme disent les poètes et ceux qui pleurent leurs vingt ans. Un jeune équipé de la dentition d'un vieillard. Gamin, il aura été carencé en vitamines, comme la plupart des enfants de son pays. Voilà une explication. Cette dentition déglinguée le force à prononcer les mots d'une façon tout à fait originale. Il dit « Rozé » plutôt que « Rose ». Et c'est plus qu'agréable à entendre. Personne d'autre que lui ne m'a appelée Rozé jusqu'à maintenant.

— Je vais avoir des dents en or, Rozé.

C'est dit avec une telle ferveur que je me sens dans l'obligation de manifester de l'intérêt. Je réponds :

— Super, et combien en auras-tu ?

Je vois qu'il promène sa langue sur ses gencives, qu'il est à en faire le compte exact. Puis il ouvre bien grandes ses mâchoires pour tâcher de me faire voir où elles aboutiront, ses dents en or. Pour finir, il choisit d'en révéler le coût plutôt que le nombre.

— Y en a pour des milliers dé dollars.

Et moi :

— Hé ! Regarde un peu où tu vas !

La voiture fait une embardée sur la droite, suivie d'un écart sur la gauche.

— T'inquiète, Rozé, y a que nous sur cette route.

Fuentes a raison. Il n'y a personne. Les autres, les habituels, ceux du village, ceux des villages voisins, ils font leurs courses, trimbalent des dindons ou encore vont porter chez Répare-Tout des objets dont ils ne parviennent pas à se départir. Il ne reste que nous deux, nous trois plutôt, et mes souvenirs, comme autant de bouteilles plastique, dans le désordre.

Il abaisse la vitre de sa portière. Je fais pareil. Le vent s'engouffre d'un seul coup dans l'habitacle. Durant un moment, j'ai l'impression que le toit s'arrache du châssis. À l'arrière, la truie a les oreilles qui pointent vers l'arrière, on dirait qu'elle s'apprête à prendre son envol. Elle serre les mâchoires. Ça lui fait comme un sourire, retenu, complice. À l'avant, Fuentes et moi en faisons autant. Vus de l'extérieur, nous ne sommes pas bien différents de la jeune famille heureuse de prendre la route pour les vacances estivales. Je reçois en plein visage les rafales d'un vent que j'ai si souvent maudit... Mais le voilà qui me fait belle. Pareille à une top-modèle devant qui on aurait placé un ventilateur géant. J'ai la sensation de tourner dans une publicité de voiture. Pour la première fois de ma vie, j'apprécie une publicité de voiture. Fuentes me regarde. Fuentes sourit. Puis il me demande en haussant la voix, parce que ça fait tout un vacarme maintenant :

— Pourquoi tu dis « le petit » alors que c'est une truie ?

— C'est parce qu'il est défectueux.

C'est comme ça qu'ils disent par ici, ceux des porcs, les porcs bios... Dès qu'un nouveau-né ne rencontre pas la norme, on le dit « défectueux ». Et on ne fait pas que le dire. Dans un premier temps, on le retire du lot, puis des gens qui se spécialisent dans la récupération des petits défectueux viennent le prendre. Paraît qu'ils en font du maquillage et des selleries pour bagnoles de luxe. Mon père m'a tout récemment offert un de ceux-là. Il l'avait gardé pour moi avant que ceux de la transformation ne l'emportent. Ce petit défectueux est un de ceux dont le corps fait croire qu'il en est une. Il souffre de cryptorchidie... Ça veut dire qu'il cache à l'intérieur de lui ce qui le ferait mâle.

— Et jamais ça ne sort par la suite ?

Il paraît que non, et puis, dans ce genre de business, on n'a pas le temps d'attendre. « Problème de couilles égal problème de rentabilité », disent les éleveurs. Alors ou t'es un garçon, ou t'es une fille dès la naissance, après, c'est trop tard, on te retrouve en sac à main dans une vitrine. C'est pareil chez l'humain... Pas l'histoire du sac à main, mais celle de garçons qui gardent enfoui au-dedans d'eux le secret de leur vie. Certains en souffrent jusqu'à en mourir. D'autres meurent un peu chaque fois qu'ils tentent d'y survivre. Ce petit-là, je le garde pour moi toute seule. Je l'aime, le nourris, le caresse, le parfume et l'éduque. C'est tout ce que ça prend pour vivre. Et puis un jour, il est la truie. Un autre jour, le petit. L'amour n'a pas de sexe...

Fuentes reprend bien vite le contrôle de la situation, de ses émotions et des miennes. Il me demande de refermer la vitre de ma portière. Il fait de même de son côté. Et toutes ses bouteilles vides, à l'arrière, qui à tout moment menaçaient de s'envoler, retournent au calme sur la banquette, entre les sièges et autour de la truie. Une certaine tranquillité est de retour et Fuentes cherche maintenant à capter une station depuis la radio cassée. J'observe ses doigts lorsque ceux-ci appuient sur les touches. Une tête de serpent est tatouée sur le majeur de sa main droite. Le corps du reptile court depuis le poignet jusqu'à la racine de l'ongle. Je me retiens de lui demander si cela est douloureux de se faire tatouer le doigt. Fuentes semble préoccupé, l'appareil sur lequel il s'acharne est une ruine. Un voleur n'en voudrait même pas.

Il colle son dos contre le dossier de son siège de manière à gagner plus de liberté dans ses mouvements. Une fois bien adossé, il substitue le pied gauche au droit sur la pédale de l'accélérateur. Je n'avais encore jamais vu pareille manœuvre avant aujourd'hui. La jambe droite ainsi libérée, il administre un solide coup de pied sous le tableau de bord, là où pendouille une grappe de fils multicolores. Son geste s'accompagne de mots espagnols dont j'ignore la signification. Il peut aussi bien s'agir d'une courte prière que d'un tapon d'injures, mais dans un cas comme dans l'autre, voilà des paroles pas du tout désagréables à entendre.

Un signal se fait entendre depuis les haut-parleurs dissimulés dans le tableau de bord. La voix d'un homme. Il commente un match de sport... un match de baseball, reconnaissable au son de la balle contre le bâton, suivi presque instantanément par les cris d'une foule survoltée. Il devient impossible de comprendre le chroniqueur lorsque la foule s'agite. Fuentes reste concentré comme s'il y arrivait, lui. Même que, du bout des lèvres, il semble répéter des fragments de phrases entendues. Après avoir replacé son pied droit sur la pédale de l'accélérateur, il allume une cigarette et fronce les sourcils. J'en déduis que son équipe favorite tire de l'arrière. Je fronce également les sourcils, par souci de solidarité, même si aucun sport ne m'intéresse. Je n'y connais rien, pas plus au baseball qu'au saut sur trampoline... En raison de mon surpoids, on m'a toujours encouragée à n'en pratiquer aucun.

La balle. Le bâton. La percussion lorsqu'ils s'entrechoquent est une musique bienfaisante, rassurante, et qui s'écoute sans effort, en se laissant porter tout simplement, comme lorsqu'on écoute un mantra. Je me surprends à réfléchir au fait que le bonheur peut parfois être aussi simple que cela. Une balle. Un bâton...

Fuentes est capable de miracles. Je le sais maintenant. D'un simple coup de pied, il a fait naître la voix d'un homme et celles de milliers de partisans. Nul doute qu'il me fera bientôt entendre celle de ma mère.

Mon père, ma mère, le Dr Bloomfield

« Elle faisait ceci... Elle disait cela... » Non seulement mon père en parlait peu, mais toujours il le faisait en conjuguant à l'imparfait chacun de ses souvenirs. « Elle n'avait pas ce qu'il fallait, de toute manière... » Peu importe ce qu'il entendait par « ce qu'il fallait », c'était douloureux à entendre. Douloureux parce que dit avec calme et discernement.

Devant ses quatre amis de toujours il en rajoutait : « L'abandon d'enfant devrait mener tout droit à l'emprisonnement ! » La gueule leur tombait à tous les quatre. Ils se la ramassaient et ravalaient leurs paroles plutôt que de tenter de raisonner l'homme... Par lâcheté, probablement, mais aussi par solidarité vu qu'ils s'étaient engagés à le soutenir dans son épreuve. Cela faisait bientôt douze ans qu'ils le soutenaient. Douze années de bonne écoute, d'encouragements, de fidélité, comme les hommes savent être fidèles lorsqu'ils décident de s'épauler entre eux, que ce soit dans le sport, l'économie ou à la guerre.

Avec un trémolo dans la voix, mon père disait : « Faudrait pas que par sa faute, ma fille devienne une enfant-problème. » Mon père redoutait les dommages collatéraux de la désunion. Il n'était pas le seul. Des millions de parents partagent cette peur, sans pour autant se retenir de foutre en l'air la vie familiale.

Sur l'un des murs de mon école on avait peint un graffiti :

« Les parents se comportent en êtres égoïstes obnubilés par leurs projets personnels!!! »

On tardait à le faire disparaître, ce graffiti, alors qu'il aurait suffi d'y ajouter une signature, celle d'un professeur par exemple, pour que le mur soit repeint dans les jours suivants. Il m'arrive de penser qu'on laissait là cette citation afin qu'elle soit comprise et retenue comme une leçon. Moi, je sais que lorsque des parents disent « enfant-problème », ce n'est pas des problèmes de l'enfant dont il est question. Ne nous méprenons pas. C'est une inversion, en quelque sorte. Un peu comme remplir sa coupe devant celui qui a soif. Un processus qui ne mène à rien.

Les tracas qu'avaient occasionnés à mon père mes deux premières fugues n'étaient rien en comparaison du mal que me cherchait le monde. Il n'y avait qu'à regarder pour voir. Je pouvais me trouver devant le téléviseur de mon père, ou n'importe où ailleurs, et l'oppression se jetait sur moi comme la misère sur les pauvres gens. Mon cœur devenait lourd comme une pierre. Puis la pierre devenait rocher, et enfin montagne. J'étais seule au beau milieu d'un lac, et soudain je n'avais plus pied. Respirer normalement devenait impossible. « C'est une nausée, un vertige de passage, tout rentrera bientôt dans l'ordre, faut tenir, c'est une question de temps. » Foutaise ! Essayer de se raisonner est inutile lorsque la raison a foutu le camp. Les yeux rivés à l'écran de télé, je n'y voyais que le vide. Je n'osais pas regarder ailleurs de peur que mon vide devienne encore plus vide, encore plus grand, qu'il englobe tout alors qu'il n'y avait plus d'endroits où aller pour se réfugier. L'horreur. J'empruntais au chevreuil cet air de désespoir lorsque, devant la voiture qui s'apprête à le heurter en pleine poitrine, il fixe les phares jusqu'au moment de la collision finale. Le seul geste dont j'étais encore capable dans pareils moments consistait à me peler la peau du pouce à l'aide de l'ongle du majeur. C'était là un bien mince réconfort...

Pour ne pas sombrer davantage, on m'avait suggéré de m'inventer quelque chose, n'importe quoi, une solution, un problème... « Ma mère déteste regarder la télé ! » Ça semble insipide comme ça, hors contexte, mais bon... à chacun sa bouée. C'était le genre de truc qui réussissait à me ramener vers le rivage. Lentement... Au son des vagues, celles de l'âme. Il n'y avait plus qu'à répéter. Répéter jusqu'à y croire, comme une prière pour ceux qui ont la foi.

J'avais bien essayé de m'en ouvrir à mon père. À propos d'elle, de ma mère. De développer autrement qu'à l'imparfait. « Parle-moi un peu d'elle, tu veux bien ? J'ai besoin de savoir. » Chaque nouvel essai avortait. J'échouais. Il échouait. Nous merdions. Si j'avais le malheur d'insister, il se braquait. Les parents, lorsqu'ils ont une idée en tête, ce n'est pas facile de la leur retirer. L'idée, pas la tête... Un parent unique, c'est encore pire, étant donné que l'autre n'est plus là pour intervenir : « Tu ne penses pas que tu exagères un peu, mon chéri ? »

Je réutilisais alors mes outils de survie. Des outils dont j'avais fait grand usage durant mes premières années de classe. Dès qu'un petit camarade parlait de sa mère, vite, je m'empressais d'imaginer un cerf-volant, ou encore un tricycle. Un acte bien inoffensif si on le compare à la prise de Ritalin, par exemple, ou d'autres régulateurs du comportement. D'autres camarades, à qui on avait diagnostiqué des problèmes équivalents, avaient quant à eux arrêté leur choix sur la consommation d'alcool. Depuis l'école élémentaire, ceux-là se pintaient deux fois par jour. Trois bières le matin, trois autres l'après-midi.

Maman = cerf-volant.

Mère = tricycle.

De cette manière, j'arrivais à m'intégrer et à suivre, si bien sûr on fait abstraction du poids que je devais porter, au sens propre surtout. J'arrivais à m'adapter. À m'adapter aux autres. À leurs silences autant qu'à leurs railleries. Question d'entraînement. Le cerveau est un muscle à stimuler, pareil à un biceps. Un muscle programmable à volonté, ou presque. Certains animaux excellent à ce genre d'entraînement, alors pourquoi pas nous ? À ce qu'il paraît, une connaissance de mon père avait dressé son chien à obéir aux couleurs plutôt qu'aux habituels commandements : « Couché, assis, marche. » Ainsi, il disait « bleu » et l'animal se mettait à aboyer. « Rouge » et la bête se tenait en équilibre sur ses pattes arrière, puis tournait sur elle-même dès qu'elle entendait « rose »... Ça vous fait sourire ? Vous n'êtes pas les seuls. Le maître et son chien faisaient la joie des passants lorsqu'ils s'exerçaient au jardin public. Je ne les ai jamais vus, hélas, mais mon père m'a si souvent raconté cette histoire... Il raffole des histoires de bêtes, mon père. Les histoires de mère, il aime moins.

Revenons-y justement, à ma mère, aux tricycles et aux cerfs-volants, et à la montagne dans la poitrine. De la savoir vivante et inatteignable me rendait fiévreuse. Quelques étudiants de l'école avaient perdu leur mère également, certains des suites d'un cancer, long, douloureux, chauve... Moi, j'avais perdu la mienne bien qu'elle y soit toujours, avec tous ses morceaux, et avec sa chevelure aussi, probablement. Ça me rendait dingue. À force de l'attendre, je m'étais mise à prendre du poids...

L'obésité débarque de cette façon, sans s'annoncer. Pareille à la première neige. Un beau matin, on tire les rideaux et on s'écrie : « Comment cela est-il possible ? » Le paysage est transformé de fond en comble et le décor de la saison précédente n'est plus qu'un souvenir imprécis. Désormais, souffrir-grossir, grossir-souffrir serait mon lot jusqu'à ce que j'en crève. J'y pensais jour et nuit. Beaucoup plus souvent la nuit, en fait, et à ne plus pouvoir fermer l'œil. Je devenais immense et cernée.

Je m'en étais ouverte à mon père qui, sans hésiter, m'avait emmenée chez Bloomfield... D'abord dans le cadre d'une consultation unique, puis d'une deuxième, et ainsi de suite jusqu'à l'ordonnance complète et renouvelable d'un automne à l'autre, avec relâche durant les vacances estivales. «Bloomfield l'orienteur», répétait mon père tout en observant ma réaction du coin de l'œil. Pff! Je savais trop bien qui était le bon Dr Bloomfield, lui et sa spécialité, avec les «p» et les «y» au travers de son titre sur sa plaque, à l'entrée de son immeuble.

«Docteur Sornettes», «docteur Cui-Cui» également, à cause de sa bouche étroite qui donnait l'impression d'être sur le point de disparaître à jamais entre ses bajoues rose tendre. «Cui-Cui», depuis sa bouche en cul-de-poule, qui disait «uuuu...» sans le son, en continu, avec de temps à autre un léger sifflement, comme ça, sur le souffle. Le bon docteur donnait à halluciner qu'il avait bouffé du moineau.

Entrer chez Bloomfield, c'était pareil qu'entrer au confessionnal. Et lorsqu'on y entre, au confessionnal, eh bien c'est pour dire des choses. Alors je parlais, je parlais, j'inventais tout au fur et à mesure. Toujours les mêmes sornettes. Je craignais qu'un de ces jours, Bloomfield découvre que je n'avais rien à lui confier. Tout était en place pour que ça merde! Heureusement, avec le temps et l'entraînement, j'avais réalisé qu'il était inutile de se pointer avec du nouveau chaque semaine. Les anciennes tourmentes l'intéressaient tout autant que les plus récentes. Je dirais même qu'elles l'intéressaient davantage.

Mon père ne me racontait que très peu d'anecdotes au sujet de ma mère. Bloomfield, lui, demandait à m'entendre sur le sujet. À quoi cela nous menait-il ? À pas grand-chose. Je ne pouvais m'empêcher de penser à une crise d'urticaire lorsque, pour chasser la douleur, on gratte et on gratte. Or plus on gratte, plus ça démange. Bien plus. Puis, un soir, j'avais trouvé. J'avais trouvé la manière convenable de lui faire part de mes doutes quant aux résultats de nos rencontres. Une telle thérapie, malgré les statistiques prometteuses, n'allait rien produire de positif chez moi. De cela, j'étais convaincue. D'ailleurs, je n'avais fait que prendre du poids depuis mes premières visites. Et puis, voyons les choses comme elles sont, il n'allait pas me la ramener, ma mère, le cher docteur Cui-Cui. Restait plus qu'à le lui dire, à présent. Mais de quelle façon ?

L'idée m'était soudainement venue au cours d'une de ces fameuses soirées où mon père s'endort devant le téléviseur avant que son émission favorite ne commence. Ça lui arrive à l'occasion... Il y avait cette émission de fin de soirée durant laquelle un animateur, plutôt laid mais célèbre de par toutes les Amériques, reçoit à sa tribune des stars mille fois plus jolies que lui. Les invités acceptent d'être traités en simples d'esprit en échange du privilège d'être vus par des millions de téléspectateurs. C'est essentiel à la célébrité, à ce qu'on raconte, pas d'être simple d'esprit, mais d'être vu de par toutes les Amériques. L'animateur laid recevait ce soir-là un homme immensément connu, que je ne connaissais pas... J'avais d'ailleurs l'impression étrange d'être la seule personne sur terre à m'inscrire dans cette catégorie. Cette célébrité d'homme racontait sa longue et lourde psychanalyse, coûteuse aussi. Il insistait : « Coûteuse, *darling*... » Pour finir, il résumait ainsi son expérience : « Vivre son plus grand traumatisme une seconde fois, même aux côtés du meilleur spécialiste, c'est le vivre une fois de trop ! » Sous un tonnerre d'applaudissements, l'orchestre avait enchaîné avec un intermède musical avant la pause publicitaire, un vieux succès américain, *Rock Around the Clock*, je crois, le truc pour faire grimper l'audimat chez les cinquante ans et plus. Mon père et moi avions gardé bien sagement nos mains sur nos cuisses, lui parce qu'il dormait, moi parce que j'ai toujours trouvé débile d'applaudir devant le téléviseur. N'empêche, je venais de pêcher une perle. Une perle que j'allais remonter à la surface, et jusqu'au troisième étage de l'immeuble où trônait Bloomfield, entouré de ses bajoues.

Le temps venu, je lui avais servi ma réplique d'un seul trait, sans hésitation, en espérant qu'elle mette un terme à nos séances hebdomadaires une fois pour toutes. « Vivre son traumatisme une seconde fois, cher docteur, et même devant le plus grand des spécialistes comme vous – j'avais ajouté "comme vous" –, eh bien, c'est le vivre une fois de trop ! Voilà le fond de ma pensée. » Il avait été très impressionné. Il m'en avait fait part. Il avait pris quelques notes dans son petit calepin brun. Puis, il avait dit: «Je n'arrive pas à me rappeler où j'ai bien pu entendre cette réplique avant aujourd'hui...»

En quatorze ans de vie commune avec mon père, je n'aurai récolté que des miettes d'informations concernant ma mère. Et encore... Des généralités sans valeur, comme les couleurs qu'elle ne supportait pas ou les épices qu'elle avait du mal à digérer.

— Elle a vécu avec nous jusqu'après ton deuxième anniversaire.

— Et ensuite?

— Et ensuite...

Et ensuite il s'effondrait. Il devenait hésitant, pareil au touriste perdu au milieu d'un carrefour. Il tentait bien de démarrer, mais en maintenant le pied sur le frein. Ça tirait de tous les côtés à la fois, à gauche, à droite, devant, derrière, et en route pour nulle part. «Si seulement elle... Oh, et puis c'était son choix après tout...»

Ce que j'aurais souhaité savoir n'était pourtant pas si compliqué. La musique qu'elle préférait. Si elle portait des jupes ou des pantalons. Le métier qu'elle avait voulu pratiquer. Celui qu'elle pratique aujourd'hui. Si elle fume, ou pas. Des choses simples, les vraies choses, c'est tout. Mais pour certains, les choses simples se compliquent dès l'instant où l'on tente de les dire. Mon père était de ceux-là. Alors il se taisait. Ou encore, s'il prenait la parole c'était dans un tout autre but, celui de se gagner une nouvelle clientèle. À cela, il était imbattable. Ses concurrents de l'époque en témoignent encore aujourd'hui.

Pourquoi on n'y arrive pas toi et moi, *Dad*?

Devant pareille situation, certains jeunes se révoltent et optent pour le sabotage en bonne et due forme. Saborder la vie du parent qui a la garde, et dans le même élan heurter celui qui n'a obtenu que les droits de visite. Un double échec. Cela se réalise aisément. Y a qu'à faire une grosse, grosse bêtise. Le truc pour se retrouver à la une du journal local. Et le tour est joué. Le commérage des voisins se chargera du reste. Mais ça n'a jamais été mon truc de bousiller l'existence de mon parent, ou celle de l'autre, ou les deux à la fois. À dire vrai, le parent unique, eh bien, à moi, il me fait un peu pitié. Pitié dans ses hésitations. Pitié dans ses pointes d'assurance. Faut le voir, ce parent, ce papa ou cette maman, dans le matin frisquet, au moment de déposer l'enfant à l'école... Faut l'entendre lorsqu'il dit: «Je te reprends à 16 heures, hein, promis, allez, fais-moi la bise...» Chancelante est sa voix, mal assuré est le geste lorsqu'il referme la portière, appuie sur l'accélérateur et s'enfuit en compagnie de sa peine, fonçant le plus souvent vers une journée de travail, le purgatoire des endeuillés de la vie de famille à ce qu'il paraît... Passent les conversations au téléphone, les rencontres, l'heure du lunch... Puis arrive enfin le coup de 16 heures. Quelqu'un l'attend! Et ça, ça sauve. Ça sauve une vie! Plusieurs vies! Des millions de vies de parents uniques au bord du désespoir. C'est scientifiquement prouvé, je l'ai lu. Vous pouvez demander à Bloomfield si ça vous chante, il dira pareil.

De ma mère, je ne savais presque rien. De mon père, je connaissais l'essentiel. Par exemple, je savais qu'il n'était pas un dur. Et lui savait que je savais. Alors pas la peine de se disputer. Si je voulais obtenir ceci ou cela, je n'avais qu'à le demander gentiment. Je savais également ceci : dès que je lui parlais de mon poids, il se mettait instantanément à renifler, ses yeux se mouillaient. Comme si les gros faisaient pleurer... Il se mettait à la recherche d'un journal, le portait à son visage, ou s'il était déjà en train de le lire, alors il le posait, se rappelant une affaire urgente qui ne pouvait attendre. Bref, dans un cas comme dans l'autre, il disparaissait quand j'avais besoin qu'il reste.

Mon père est un hypersensible. Peut-être que les hypersensibles ne devraient pas être parents. Ceux de cette catégorie de gens auraient échoué au test du parent potentiel, si pareil test existait. Il est aussi quelqu'un de très réfléchi, même qu'il met beaucoup de temps à la réflexion, laissant croire qu'il s'apprête à en dire beaucoup alors que, pour finir, il ne raconte presque rien. C'est un lent, un pacifique. Il est contre la peine de mort, et contre la peine tout court.

Il était fidèle, si on peut dire. Il fréquentait les mêmes quatre amis depuis toujours. Ils étaient lents eux aussi, pratiquaient le yoga, discutaient politique internationale jusque tard dans la nuit en buvant de la bière allemande. À eux cinq, ils soulevaient des masses de réflexions concernant les principaux conflits mondiaux pour lesquels ils ébauchaient autant de pistes de solutions. Seulement voilà, la bière, qu'elle soit brassée en

Allemagne ou ailleurs, et bien elle rend mou. Trop en boire fait qu'on oublie. «Qui? Moi? Je t'ai dit ça hier? Pas possible!» Alors ils négligeaient d'agir et ressassaient les mêmes questionnements à propos de Cuba, de l'avortement ou encore de l'équité salariale. Les principaux enjeux sociaux y passaient et repassaient sans cesse. J'entendais depuis douze ans le même discours.

Ces hommes étaient cultivés, davantage que je ne le serai jamais. J'en suis convaincue. Ils savaient tout des peuples de l'Europe, de l'Amérique centrale. De ceux de l'Afrique ou de l'Extrême-Orient ils en savaient tout autant. Ils avaient tout lu et tout compris. Ce qui me faisait m'interroger d'ailleurs... Comment est-il possible que de si beaux esprits se retrouvent seuls? J'en avais conclu avec les années qu'il devait être plus aisé de comprendre une nation que de comprendre une conjointe. Ils prenaient soin de mon père, mon père prenait soin d'eux. Comme s'ils étaient redevables les uns envers les autres. Et moi? Eh bien j'étais contente de ne pas avoir à le substituer à un tricycle ou à un cerf-volant. Ça me faisait un bien énorme.

Père = père.

Papa = papa.

Pour le meilleur et pour le pire.

Certains de ses agissements étaient les mêmes depuis toujours, c'est-à-dire non évolutifs lorsqu'il se reprenait après avoir dit: «Tu étais toute petite... euh, tu étais toute jeune!», ou les gloussements qu'il cherchait à masquer au moment où, à la télé, une scène lui serrait la gorge. Et ses moments d'égarement... Il cherchait désespérément ses bottes dans toute la maison alors qu'elles se trouvaient devant moi et que je me gardais de le lui faire savoir. Ou cette manie qu'il avait de faire répéter, parce qu'il pensait «à autre chose». Mon père pensait irrémédiablement à autre chose dès l'instant où vous sollicitiez son attention sur un point. Rien de bien grave dans les faits, c'était même plutôt amusant. On lui avait diagnostiqué un déficit d'attention latent, évolutif celui-là. Mais si ça me faisait rigoler, moi, possible qu'à la longue, Hélène, ça lui tombait terriblement sur les nerfs!

Certains l'ont décrit comme un méchant homme. Je ne suis pas d'accord. Ou serais-je devenue complice du monstre qui l'habite? J'ai pourtant observé mon père un nombre infini de fois et sous toutes les coutures et dans toutes les circonstances, ou presque. Depuis la confusion matinale jusqu'à l'effondrement physique du soir, tête-à-la-renverse-et-bouche-ouverte-devant-le-téléviseur.

— Tu ronfles...

— Hein? Qui? Moi?

Tantôt il faisait la gueule. Tantôt il se disait épuisé. Tantôt il était rongé par le doute. Mais jamais il ne se montrait méchant. Même lorsqu'il s'adressait à ma mère en se parlant à lui-même, tout seul. Ce n'était pas de la méchanceté, mais plutôt de la colère. Pas pareil. La méchanceté, c'est faire du mal à l'autre. La colère, c'est se faire du mal à soi-même. L'optimiste naviguant sur la mer des désolations! Voilà qui décrit bien cet homme qu'est mon père. Et sa fille unique lui ressemble assez sur plusieurs points, dont celui de la désolation.

« *Un ciel gris qu'on devine un soleil derrière.* » C'est le titre d'un dessin que j'ai fait à l'âge de dix ans et qui, encore maintenant, se trouve derrière la porte de ma chambre. Du moins il y était au moment où j'ai quitté la maison. Un papier entièrement recouvert du gris d'un crayon plomb, sauf pour le motif jaune de forme circulaire et qui cherche à naître, en haut à droite. Au fil des ans, je lui ai trouvé mille et une significations à ce dessin. Entre autres celle-ci, et c'est probablement la plus juste : un croquis maladroit, l'œuvre d'une enfant qui s'éveille sur un monde opaque.

Mon père faisait dans la publicité-marketing au moment où ma mère s'est trouvée à ne plus y être. Pour des raisons que j'ignore, comme vous le savez. Du coup, il en a profité pour transformer sa vie du tout au tout. Nouvelle carrière, nouveau défi, rien à voir avec tout le glamour entourant la profession précédente. D'après ce qu'on raconte, il y pensait déjà depuis un bon moment à cette deuxième envolée. Il avait fait son choix. Éleveur de porcs biologiques... Et il avait tout son temps pour lui, maintenant qu'hier se faisait tout petit.

Il se remit aux études. Je souligne ici, c'est pour moi surtout, parce que moi, les études, les études et moi... Enfin, vous voyez ce que j'essaie de vous dire... Je souligne également parce que j'imagine difficilement mon père le nez dans un manuel scolaire. D'ordinaire, il tourne les pages de magazines de mode masculine ou celles de revues de bagnoles. Avec frénésie qu'il piochait, rapportaient ses quatre amis de toujours. « Et en pleine peine d'amour », s'empressaient-ils d'ajouter, déposant leur bière pour imiter les gestes d'un découragement profond, du genre les coudes sur la table et les mains sur les oreilles. Lire, lire et lire encore jusqu'à ce que les yeux se ferment et que les mâchoires s'ouvrent au-dessus d'une page qui attend. Occuper son corps et son esprit jusqu'à l'épuisement total serait, selon plusieurs, le remède tout indiqué contre la peine d'amour.

Paraît qu'il dévorait les bouquins, de jour comme de nuit, à en oublier le temps qui passe et celle qui n'était plus là. Du coup, il oubliait aussi celle qui y était encore. Mais bon... À ce qu'il paraît, j'étais une enfant qui ne demandait pas. Alors pourquoi se priver de réaliser son rêve ? Et puis, d'autres enfants connaissent bien pires traitements. Je peux donner des noms...

Il lisait.

Je dormais.

Il lisait.

Je mangeais.

L'enfant idéale pour compléter un certificat !

Il s'était départi de ce qu'il possédait à la ville et avait encaissé les économies qu'il avait engrangées pour nous, c'est-à-dire pour lui, ma mère et moi, pour plus tard. Ce plus tard-là ne lui disait plus rien. Certains effacent leur passé, lui, c'est notre avenir qu'il ne voulait plus voir.

Puis il avait acheté ce lot de terre sur lequel nous vivons depuis, lui et moi, l'endroit se trouvait à bonne distance de la ville. Suffisamment loin pour garantir à son acquéreur une belle tranquillité. Ironiquement, ses quatre amis lui rendaient visite plus souvent ici qu'ils ne le faisaient du temps où nous habitions à la ville. Il le leur faisait d'ailleurs remarquer aussitôt débarqués, et dans la minute suivante il leur offrait le gîte. C'est comme ça qu'ils font les vrais amis. Ils restaient avec nous, parfois pour une nuit, parfois plus longtemps. De jour ils aidaient à la corvée, le soir ils décapsulaient des bières, assis devant l'ordinateur de mon père à la recherche de pistes de discussion. Autrement, ils confectionnaient des rollmops pour leurs séjours à venir. Du hareng mariné entourant un pickle, le tout transpercé d'un cure-dents... Si seulement ils s'étaient juste contentés de les confectionner. Je m'interroge encore : comment une personne saine d'esprit peut-elle, sans y être contrainte par la menace, introduire dans sa bouche des poissons morts et crus, les mastiquer, les avaler... ? Cela les regardait après tout, pour autant qu'ils ne me parlent pas de trop près par la suite. En plus, tous les cinq picolaient autrement plus ici qu'ils ne picolaient à la ville. « L'isolement », disaient-ils. Pareil pour les matelots captifs au large.

Mon père l'avait donc mise de l'avant, sa vie nouvelle. Entouré de ses amis, de sa fille et de ses porcs bios. Plus d'une cinquantaine de têtes, comme ça, d'un seul coup. Pour un homme habitué à une enfant unique, ça lui faisait toute une famille, fallait être fort. Moi, j'étais moins enthousiaste, bien sûr, mais je me gardais de lui en faire part, me contentant de répondre, si on me questionnait, qu'un coin de terre dans un environnement paisible pouvait faire beaucoup de bien à un homme, même si ça pue! «Un lieu de ressourcement absolu», aux dires des visiteurs, qui tous, sans exception et aussitôt arrivés, s'informaient des prévisions météo afin de s'assurer un retour en ville sans complications. Quant à ceux qui y avaient élevé leur famille, eh bien ceux-là travaillaient plutôt que de poétiser. Pas de temps pour les commentaires récréo-touristiques qu'ils laissaient aux journalistes et autres chroniqueurs écolos qui venaient rouler à vélo les dimanches matins.

Ma définition à moi d'un endroit comme celui-là était bien différente de celle des visiteurs sporadiques. «Un territoire terreux où il vente sans arrêt.» Le vent entrait par une oreille de chacun des habitants et ressortait par l'autre, emportant au passage toute conscience autre que celle reliée au transport du fumier, au prix d'un pick-up Ford ou aux élections municipales. «Les grandes bourrasques possèdent la vertu d'emporter au loin les soucis de l'homme de manière à ce qu'ils disparaissent à jamais!» Quand je pense que, pendant des années, mon père a versé des salaires à des gens pour qu'ils rédigent de pareilles sornettes. Et il y avait pire: «Acheter, c'est permettre à l'autre d'exister.»

L'endroit comprenait une maison à rénover expressément, un hangar sur le point de s'effondrer et trois bâtiments de ferme assortis, dans le même état que les deux précédents... Mais il y avait aussi la grange. Une grange centenaire que son nouveau propriétaire préférait conserver dans son état... centenaire! Pour faire rustique. L'image, toujours. Mon père avait abandonné le marketing bien avant que le marketing ne l'abandonne. Ses amis s'entendaient pour dire qu'il était un artiste authentique, prenant soin d'ajouter : « au fond », ou encore : « pourtant ». Et qu'il aurait tout aussi bien pu vivre de son talent véritable s'il n'avait pas été frappé très jeune du syndrome d'enrichissement compulsif.

Mon père, un artiste... Je voulais bien y croire, même si jusqu'à ce jour je n'avais vu de ses œuvres que les panneaux démesurés installés aux quatre coins de la ville, sur lesquels des slogans sollicitaient l'attention et les deniers du passant. Ma définition de l'art véritable, pas celle du dictionnaire, mais ma propre définition, ressemblait plutôt à cela : « Un appel auquel on se doit de répondre, et qui exige le meilleur de soi sa vie durant, un sacerdoce. » Bon nombre d'hommes et de femmes préféraient ne pas entendre cet appel. Ils disaient avoir fait un choix, celui de se sacrifier au bien-être de leur famille... Mon père était de ceux-là. Il avait opté pour la présidence d'une agence plutôt que de devenir l'ange gardien de son rêve le plus cher. En d'autres mots, un espace de stationnement réservé en tout temps au centre-ville au lieu d'un engagement à travailler le meilleur de lui-même au quotidien... et par conséquent d'avoir à utiliser les transports en commun. Il s'agit d'un choix, en effet.

À présent, dans sa vie nouvelle, libéré du passé, ou presque, il se laissait prendre au jeu de la nostalgie en permettant aux anges du passé de virevolter autour de lui. Lorsqu'il ne buvait pas avec ses amis en discourant sur les conditions de vie des femmes en Syrie, il rédigeait un scénario de film, disait-il. Il m'en glissait un mot à l'occasion, tard le soir, dans un élan de bon vouloir et de détermination. « Cette fois, c'est pour vrai. » Mais dès le lendemain, au réveil, il se montrait déjà moins convaincant.

— Et ça raconte quoi, je peux savoir ?

— Ça raconte... ça raconte la vie.

— C'est prévu pour quand ?

— ...

Pour la première fois de son histoire, il ne connaissait pas d'échéancier de production. Ce qui, à mon avis, en appelait au problème plutôt qu'à la solution. « Mon film sera terminé lorsque mes jours le seront », concluait mon papa devenu artiste à part entière, si l'on fait abstraction du soin donné aux cochons.

Ainsi donc, son scénario serait terminé le jour de sa mort. Compte tenu de cette mise au point, je comprenais bien son manque de motivation à écrire le mot « Fin ».

Grosse

*Une étonnante nouvelle manière de commencer
à perdre.*

Centimètre par centimètre et réduire la graisse...

Oui ! Commençant le premier jour !

Dream Cream

Dream Cream

Dream Cream

Perdez plusieurs, 5 centimètres en 3 semaines.

La traduction sur Internet est quelque chose qu'il
faudra revoir à coup sûr. Mais quand il s'agit de survie,
on ne regarde pas à la syntaxe !

Un jour, sur le Web, j'ai participé à une étude qui avait pour thème l'obésité chez les jeunes. Programme officiel de la Youth American Foundation for Health. La page d'accueil de la YAFH arborait les armoiries de plusieurs grandes universités américaines, de même que les signatures de spécialistes en matière d'alimentation chez les jeunes adultes. Tout y était pour rehausser la confiance de l'éventuel utilisateur. Je connais cette technique. Mon père l'utilisait lorsqu'il avait à donner bonne figure à un produit futile. «Foutez la tête d'un athlète sympathique sur l'étiquette, et le problème de mise en marché se réglera de lui-même.»

J'avais rempli la fiche de renseignements personnels avec empressement.

Nom

Adresse courriel

Numéro de carte de crédit

Vérifiez la commande

Send...

Il y a toujours un risque à confier ainsi des renseignements personnels, mais bon. Que pouvait-il m'arriver de si terrible après tout? Laisser mon corps prendre de la masse à chaque seconde qui passe m'apparaissait mille fois plus risqué que de remplir une demande d'adhésion à un club inconnu, même si j'y dévoilais mon numéro de carte de crédit ainsi que les trois chiffres du code de sécurité à l'endos de la carte. Et puis il y avait ce voyage autour du monde à gagner. J'étais certaine d'être celle qui allait s'envoler. Je me voyais déjà faire ma valise en chantant: «Viva la YAFH! Viva la YAFH! » Par la suite, ma boîte de réception ne fit que s'emplir d'envois publicitaires traduits de l'anglais au français de façon lamentable. Et je n'entendis plus jamais parler du voyage autour du monde, ni de quelque autre voyage...

À cette époque, je pesais quatre-vingt-quinze kilos. Je vivais avec la certitude qu'une fois que j'aurais atteint les cent kilos, je mourrais. De quoi je mourrais, je l'ignorais, l'obésité se chargerait de trouver, mais je mourrais, c'était certain. La liste des tueurs potentiels était bien garnie, elle comprenait entre autres assassins le diabète, les maladies coronariennes, les cancers multiples, foie, pancréas, intestins... Tous ceux-là me terrorisaient.

Rose, obèse au milieu d'un troupeau de porcs roses et bien gras. C'était à se demander si mon père ne l'avait pas fait exprès... Il aurait choisi l'élevage de la poule ou du wapiti qu'il m'aurait facilité la vie, ça c'est certain. Je n'ai qu'à penser aux commentaires de ce jeune que nous croisions à la quincaillerie du village. Moi accompagnée de mon père, lui du sien et de son arsenal de bêtises. Le jeune comique en herbe m'accostait: «Alors, ton père a peur qu'on lui vole la meilleure femelle de son élevage? C'est pour ça qu'il la traîne avec lui lorsqu'il sort faire ses courses?» Des trucs de ce genre, il pouvait en débiter tant qu'on ne l'arrêtait pas. Et justement, personne ne l'arrêtait. Aussi étrange que cela puisse paraître, mon père ne réagissait pas. C'était comme s'il était atteint de surdité subite dès l'instant où ce jeune ouvrait la bouche.

Si encore l'horreur s'était arrêtée là! Mais non. Mon père tendait la main à l'autre papa et suggérait une fête pour les jeunes à la ferme... Heureusement pour moi, son déficit d'attention faisait en sorte qu'il oubliait tout de son projet dès l'instant où nous franchissions la porte de la quincaillerie.

Si certains jeunes se montrent détestables à l'occasion, bien des adultes savent faire pire encore. Un soir où les quatre amis de mon père se trouvaient à la maison à boire de la bière et à refaire le monde, l'un d'eux, Eugène, en avait profité pour me coincer entre son ventre et le frigo, comme ça, sans raison. Tout en me retenant par les poignets, il m'avait embrassée sur la bouche... Ouache! Moi, comme aucun garçon ne m'avait encore fait ça auparavant, eh bien j'avais été totalement surprise... et pas vraiment séduite. D'abord parce qu'Eugène était loin d'être le plus attirant des amis de mon père, mais en plus sa moustache empestait le rollmops et la bière... Je l'avais furieusement repoussé, et aussitôt libérée de son étreinte je m'étais mise à m'essuyer les lèvres convulsivement contre mon avant-bras. J'aurais voulu y laisser la peau afin qu'une nouvelle couche se crée au plus vite. J'étais dégoûtée. Eugène était pétrifié. Sa poitrine se soulevait, puis retombait, puis se soulevait de nouveau, à répétition. Son visage était livide et ses yeux ceux du chien qui redoute le maître après une grave désobéissance. Puis, le voilà qui s'était animé et avait fait de grands gestes avec les bras, et de tout petits avec les doigts, comme ça, en alternance, et que ça paraissait terrible ce qu'il était à imaginer. « Tu ne dis rien à ton père, surtout... Je... Je crois qu'il me tuerait. » Là-dessus, il s'était emparé de cinq bières fraîches et les avait apportées aux autres qui, ne se doutant de rien, l'avaient acclamé bruyamment.

Jamais Eugène ne m'avait reparlé de cette histoire. Il ne m'avait quasiment plus adressé la parole par la suite. « Le déni », aurait commenté Bloomfield s'il avait su... Il ne le saura jamais. Comptez sur moi pour ne pas le lui raconter.

J'avais laissé les hommes entre eux et j'étais sortie de la maison. Par besoin de me trouver seule. Par besoin de marcher dans la nuit. C'est comme ça qu'ils disaient ceux du village, « marcher dans la nuit », tellement le ciel, d'un bleu d'encre, se laisse descendre jusqu'aux terres une fois que le jour s'en est allé, faisant croire qu'on n'a plus qu'à monter dedans pour aller rejoindre les étoiles.

Je m'étais rendue jusqu'à la grange centenaire, comme j'avais l'habitude de le faire lorsque les autres dormaient ou discutaient en repoussant le sommeil. Pour m'y rendre, je comptais mes pas. Toujours le même nombre entre ici et là-bas. Attentive aux bruits qu'ils faisaient en heurtant le gravier, comme l'aveugle privé de son chien. Me retrouver dans cette grange était devenu un rituel et une célébration. Il n'y avait que là que je pouvais quitter mon corps, sortir de moi-même, n'être qu'un esprit durant un moment. Un esprit libre... J'y venais pour y vivre mes peines et mes bonheurs. Dans les faits, plus souvent mes peines, vu que la tristesse habite l'humain en permanence alors que la joie n'y fait que de courts passages. Il en est ainsi chez tous les vivants, et à en croire les experts qui se sont penchés sur la question, le phénomène serait tout ce qu'il y a de normal. Paraît qu'aucun de nous n'y échappe. Je l'ai appris dans un livre dont j'ai oublié le titre... J'ai cette manie de ne jamais me rappeler le titre d'un ouvrage. Même au moment où je l'ai entre les mains. On me demande : « Que lis-tu ? », et je dois refermer le bouquin pour jeter un coup d'œil sur la couverture. Je sais que la plupart des auteurs se donnent un mal fou pour trouver un titre accrocheur, mais en ce qui me concerne, un simple numéro ferait l'affaire. Par contre, le contenu d'un livre m'habite pour longtemps, quelquefois pour toujours... De cet article justement, j'ai tout retenu. On y expliquait comment la mémoire de l'homme tend à retenir les impressions tristes plutôt que celles relatives au bonheur. Et, pour conclure, on affirmait qu'une attitude morose et abattue serait dans les faits un témoignage rassurant puisque c'est la règle. J'ai souvent douté de cette théorie. Cela m'arrive encore. À certains moments, la tristesse, moi, elle me tue. D'aucuns prétendent que cette découverte n'est pas récente mais qu'on l'aurait tenue secrète en raison des craintes des principales compagnies pharmaceutiques de voir s'effondrer les ventes d'antidépresseurs ainsi que leurs titres boursiers. Des grands de la finance seraient allés jusqu'à prédire un séisme au niveau de l'économie mondiale... Rien de moins. Je raconte cela, et en même temps j'ignore tout des compagnies pharmaceutiques comme des marchés boursiers. En revanche, en matière de détresse émotive, j'en connais un rayon.

Dans mon for intérieur, à la grange centenaire, là où ça sent le foin sec, je voyais ceux de l'école. Mais ceux de l'école ne me voyaient pas. Je leur parlais, les touchais, les embrassais sans qu'ils n'en sachent rien. Le drôle de la quincaillerie, puis les autres. Tous les autres. J'écoutais leur voix, je respirais l'odeur de leur épiderme jusqu'à les reconnaître un à un. Nos corps s'entrechoquaient et nos cheveux s'entremêlaient. J'étais belle, je courais et je riais à tue-tête. Des oiseaux chantaient pour moi toute la nuit durant, jamais ils ne se taisaient, jamais ils ne dormaient seulement, tellement ils voulaient me tenir compagnie. Ici j'étais différente, mais autrement que par ma taille et mon apparence. J'étais différente de tous ces gens tristes et normaux.

C'était silence total lorsque je suis rentrée à la maison. On aurait dit la nuit dans une auberge une fois les clients sous la couette. Les cinq hommes étaient au lit, à l'étage, chacun dans sa chambre. Pour ne pas déranger, j'avais choisi d'utiliser la salle des toilettes du rez-de-chaussée, celle qui m'oblige à me contorsionner pour pouvoir y accéder tant elle est exiguë. Cette pièce ressemble à ce qu'elle est : un défi. Défi pour moi, mais aussi pour mon père qui, un jour, s'était mis en tête d'arriver à faire entrer un lavabo et une toilette dans une pièce qui, en réalité, ne peut contenir qu'un seul de ces deux objets. Ensuite, j'avais fait ce que je faisais chaque soir au retour de la grange centenaire, j'étais montée dans ma chambre en appréciant le craquement de chacune des quinze marches du vieil escalier de bois. Je connaissais cette musique par cœur et elle m'enchantait.

L'escalier n'aurait plus chanté que j'aurais exigé de mon père qu'il installe ma chambre au rez-de-chaussée, rien de moins.

Deux marches refusaient toutefois d'imiter les autres, deux nouvelles. Jadis, la montée comptait treize marches.

— Tu le trouves comment cet escalier ?

— Très bien, papa.

Lui, pas du tout. Cela m'apparaissait évident rien qu'au ton qu'il utilisait pour poser la question. Et elle revenait, cette question, un jour sur deux, comme un mal de dent non traité. Sans doute espérait-il que je finisse par me rallier.

— À vrai dire, je le trouve un peu abrupt...

Un beau matin, il n'avait plus attendu et s'était précipité à la cave pour y prendre ses outils. Bing ! Bang ! Bong ! La barre à clous, la scie et les ciseaux à bois. Aidé de ses quatre amis, il avait greffé deux nouvelles marches aux treize déjà existantes. Une tout en bas et l'autre tout en haut. Depuis, fallait se méfier au moment de les escalader. Pourquoi ? Une affaire de hauteur, disait-on. Un truc pas tout à fait dans la norme, comme souvent lorsque mon père n'en fait qu'à sa tête malgré les avertissements. Mais il y avait pire : les deux nouvelles marches étaient nées muettes. Elles restaient silencieuses quand on marchait dessus. C'était d'une tristesse sans nom, surtout qu'elles en auraient pour un bon demi-siècle avant d'apprendre à chanter comme leurs sœurs. Question sécurité, je trouvais moins risqué d'avoir à franchir les anciennes au nombre de treize que ces quinze-ci. Mais bon, après tout il s'agissait de *son* escalier, ainsi que de *sa* superstition.

Une fois arrivée à ma chambre, j'avais foutu par terre les peluches géantes qui encombraient mon lit depuis mon plus jeune âge. À l'époque, il y avait de l'espace pour nous toutes. Plus maintenant. Épuisée, je m'étais glissée sous les couvertures, et tout de suite j'avais jeté un coup d'œil au réveille-matin. Les chiffres indiquaient minuit trente-deux. Pour appeler le sommeil, j'expirais longuement et j'inspirais rapidement. Façon yogi. Au bout d'un moment, le cadran indiquait une heure trente minutes. Je ne dormais toujours pas. Zéro sommeil, et des centaines d'images dès que mes paupières se refermaient. « Eugène... La grange... Ceux de l'école... »

Je m'étais assise sur mon lit, les pieds pendant au-dessus des peluches à la renverse sur le plancher de chêne, et j'avais jonglé un instant avec l'idée d'aller rejoindre mon père dans sa chambre, histoire de parler un peu, lui et moi, même s'il était tard, même si cela ne doit pas se faire lorsqu'il n'y a pas urgence. Nous parlerions de la vie, de celle d'avant et de celle qui m'attendait si je parvenais un jour à perdre du poids. Parler de tout et du reste, de n'importe quoi, parler de ses porcs biologiques au besoin.

J'avais ouvert la porte de sa chambre, silencieusement. Le téléviseur diffusait une émission stupide mettant en vedette des filles juste assez à poil pour être montrables sur une chaîne généraliste. Mon père dormait. Tout de suite, je m'étais demandé s'il s'était endormi en regardant cela ou si la programmation avait changé durant son sommeil. Je m'étais avancée en direction de son lit en prenant soin de marcher sur la carpette afin de masquer le craquement du plancher. Nos visages se trouvaient à proximité l'un de l'autre lorsque j'avais laissé s'échapper de mes lèvres un discret : « Papa ! » Et lui, tout de suite : « Hein ? », en sursautant comme un lièvre qui décide de détaler. Mon père a toujours été un homme calme dans la vie, mais terriblement anxieux dans le sommeil. Jamais je ne l'ai vu s'éveiller autrement qu'en étant surpris que cela se produise et en émettant un « Hein ? »

Il avait l'air ailleurs maintenant qu'il était là. Je veux dire qu'il n'émettait pas un son mais que sa bouche, restée grande ouverte, n'était utile à rien d'autre qu'à laisser s'échapper les effluves de la Beck's. J'avais demandé :

— Que ferais-tu si on m'agressait ?

Et lui :

— Quelle heure il est ?

Et moi :

— Une heure trente-cinq.

— Merci.

— Je t'en prie.

J'avais redouté qu'il se mette à penser à autre chose maintenant que j'avais sollicité son attention. Ou encore qu'il se rendorme avant même de m'avoir répondu.

— Papa, que ferais-tu si l'on venait de m'agresser ?

— Quand ça ?

— Disons, ce soir.

Il avait allongé le bras droit en direction de la veilleuse qui se trouvait sur la table de nuit et il l'avait allumée. On se voyait mieux à présent. Sa chevelure pointait vers une seule et unique direction, comme ça, vers l'est, comme si le vent soufflait toujours. Son T-shirt favori, celui avec une tête de loup – il l'enfilait chaque soir pour aller au lit depuis que je lui en avais fait cadeau un certain Noël –, eh bien il le portait devant derrière et tout tordu. Ça lui faisait une gueule terrible, au loup. À mon père aussi.

Il avait tout pigé cette fois, j'en étais sûre, et il ne pensait à rien d'autre qu'à ce qu'il ferait si l'on m'avait agressée « disons, ce soir ». Rien qu'à la façon dont il hochait la tête, je savais que je n'aurais pas à répéter et que cette fois son déficit d'attention n'était pas entré en fonction. Juste un peu de temps, voilà de quoi il avait besoin, un peu de temps pour réfléchir, un peu de temps pour produire une réponse. C'est bien lui, ça, j'avais pensé, « pareil de nuit comme de jour ».

Ses yeux fixaient le mur du fond pendant que son visage tardait à prendre une expression ou une autre. Je ne savais pas quoi penser de tout cela, sinon que j'aurais mieux fait de ne pas venir ici cette nuit. L'idée qu'il venait d'être victime d'un malaise causé par un traumatisme émotionnel m'avait même effleuré l'esprit... Et puis non, m'étais-je dit. Probablement qu'il se porte bien mais qu'il se sent mal, tout simplement, comme cela arrive quotidiennement à des millions de gens, et peut-être davantage. Je m'étais assise sur son lit aussi délicatement qu'il m'avait été possible de le faire. Malgré mes bonnes intentions, tout de suite sa posture s'était transformée, son corps s'était trouvé déporté vers l'extérieur, l'obligeant à se retenir contre la table de nuit. C'est dans cette position pas très commode qu'il allait me confier ce qu'il ferait si on agressait sa fille... Je m'en souviendrai toujours parce qu'il regardait les filles à la télé au moment où il a dit : « J'en mourrais, Rose. » D'un coup, ça m'avait mis une pression énorme, vraiment.

Il en mourrait ! Il n'y avait pas de quoi rigoler. Il l'avait dit d'un ton on ne peut plus solennel, malgré le fait que devant ses yeux se déroulaient des idioties. Puis il avait plongé son regard dans le mien, ses beaux yeux gris comme ceux du loup sur le T-shirt. De cela également j'allais pour toujours me souvenir, et de la suite, sa crainte irréfléchie que je sois sur le point de lui annoncer sa mort imminente. Si j'avais pu, j'aurais reformulé ma question. Sa réponse aurait été différente, pas nécessairement meilleure, mais différente.

« Papa, que ferais-tu si Eugène m'avait agressée ? »

« Il mourrait, Rose ! »

Mais je ne l'avais pas fait. Je n'avais rien changé à rien, et du même coup je leur avais sauvé la vie à tous les deux. Inspirée par le sentiment d'amour qu'il tentait d'exprimer plutôt que par le projet de mort qui risquait d'en résulter, je m'étais jetée dans ses bras. Cela m'était si rarement arrivé dans le passé que mes gestes étaient d'une grande maladresse. Je ne savais pas quoi faire d'un père à serrer contre moi. La scène était à l'opposé de ce que l'on peut voir au cinéma, deux êtres en sanglots qui se dévorent tant ils sont heureux de se retrouver... À la façon qu'il avait eue de me repousser, en douceur, j'avais compris que mon geste causait plus de mal que de bien. Pourtant... Lui, moi. Nous deux. Si près. Trop près...

On n'ouvre jamais ses bras aux obèses. On ne se sent pas la force de les étreindre ou encore on redoute leur puissance. On craint la moiteur de leur peau, l'odeur de leur corps. On s'en éloigne alors qu'ils auraient tant besoin qu'on les touche, qu'on prenne soin d'eux, qu'on les cajole en leur prodiguant les caresses que l'on réserve aux autres, les délicats, les beaux, ceux qui sentent bon, ceux qui se tiennent au sec.

Je m'accrochais à lui. Je ne parlais pas. Pour ne pas lui déplaire je respirais à peine. Il tapotait du bout des doigts mon épaule, mon dos. De l'autre main il fouillait les draps à la recherche de la télécommande. Il avait éteint et l'éclairage dans la pièce s'en était trouvé immédiatement transformé. Plus de télé, plus de musique insipide, plus de filles presque à poil. L'endroit reprenait un peu de sa dignité, de son identité, l'endroit redevenait antique, et mon père s'était mis à pleurer. Discrètement qu'il pleurait, peut-être même croyait-il que cela ne se remarquait pas. Ses épaules le trahissaient, elles sautillaient, s'arrêtaient, puis se remettaient à sautiller sans qu'il puisse y faire quoi que ce soit.

J'allais bientôt regretter d'être là, assise sur ce lit à faire pleurer ce père. Moi, je ne pleurais pas. Je réfléchissais au fait que ma mère puisse être policière à New York ou prisonnière en Turquie, et que je n'en savais rien. Pour un court instant, cela m'importait peu. Puis, il s'était calmé, et avait dit : « Bon », tout en reprenant ses distances. Ses yeux étaient retournés au sec. Il avait replacé ses cheveux et ajusté son T-shirt. Les choses vont ainsi, m'étais-je dit en me redressant, elles s'améliorent pour certains d'entre nous, alors que pour d'autres elles restent au pire.

Du ton du médecin faisant l'annonce d'un diagnostic lourd de conséquences, il avait prononcé cette phrase qui aurait dû en être une autre étant donné les circonstances. Il avait dit : « Retourne au lit maintenant. Il faut te reposer. » Regardant le réveil sur sa table de nuit, il avait ajouté : « Dans quelques heures, c'est la foire du dindon au village. »

Puis, il avait éteint...

Arrivée chez Fuentes

Fuentes bifurque sur la droite au moment où je m'y attends le moins. Ma tête fait ce que fait celle du passager d'un manège qui se braque à toute vitesse, elle cherche à s'arracher de mon corps. Nous roulons à présent sur une ruelle jonchée de sacs-poubelle crevés que Fuentes s'amuse à contourner avec adresse. Tout cela dans le genre cascade de film d'action à petit budget. Bientôt, il rétrograde et s'engage dans un passage étroit aux murs bariolés de peinture laissée par les différentes carrosseries qui s'y sont frottées avant la nôtre. Un long corridor multicolore où s'enchaînent dans une suite sans fin des hangars en détresse. L'espace est restreint. Fuentes accélère comme si la possibilité d'y croiser quelqu'un ou quelque chose était nulle et caduque. Des éclairs en rafales s'animent de chaque côté de la voiture. Fuentes allume les phares, on dirait que le long corridor brûle.

Une mare d'eau brunâtre apparaît devant nous. Elle est aussi large que notre voiture. Fuentes s'arrête net. Une manœuvre délicate s'annonce afin de ne pas y sacrifier le dessous de la voiture. Il se concentre, coupe le son de la radio, se redresse sur son siège. Le véhicule avance centimètre par centimètre, jusqu'à ce que les roues avant touchent le fond. Nous nous arrêtons là, au milieu de la mare brunâtre, un court moment qui paraît long, puis Fuentes remet les gaz... Un bruit terrible. Le hurlement d'un animal que l'on dépèce vivant. Le ventre de la voiture râpe le sol de terre et de cailloux depuis l'essieu avant jusqu'aux roues arrière. Le petit s'agite. Il cherche à venir nous rejoindre à l'avant. La voiture tangue... Nous venons de franchir la mare. Je me demande comment une voiture peut résister à un traitement pareil au quotidien.

Nous passons bientôt sous une corde à linge. Un large drap blanc vient lécher tout le pare-brise. Une idée du ciel après l'enfer. « Ça y est », dit Fuentes, et il enfonce le nez de la bagnole sous un balcon encombré d'objets. Siège de voiture, pneumatiques empilés les uns sur les autres, frigo sans sa porte, et deux chats qui détalent comme si nous apportions avec nous l'eau et le feu. Fuentes coupe le contact et dit tout haut : « Impossible d'aller plus loin. Ici, c'est le bout du monde. » Faire marche arrière demande une grande habileté. Je ne le dis pas. Je le pense. Et, du coup, j'éprouve un grand soulagement de ne pas détenir un permis de conduire.

Fuentes sort le premier. Ma portière refusant de s'ouvrir de l'intérieur, c'est lui qui vient me libérer. Je réussis à m'extirper sans trop de mal, sans trop de honte. J'ai des fourmis dans les jambes, j'arrive à peine à me tenir debout. Tout de suite, marcher, je ne pourrais pas.

Il prend dans ses bras le petit, s'arrête et me regarde des pieds à la tête comme s'il était à reconsidérer sa décision d'être allé me cueillir pour me ramener jusqu'ici. Il tourne les talons, direction le fond de la cour où survivent tant bien que mal quelques brindilles d'herbe jaunies par le manque d'ensoleillement. Au pied d'une clôture en bois en partie recouverte d'une mousse verdâtre, il dépose la truie. À la façon d'un dresseur professionnel, il se met à scander des ordres : « Allez... Allez... Allez... » Eh bien, vous n'allez pas le croire, mais le petit obéit et fait ses besoins sur-le-champ. Fuentes est fou de joie. « T'as vu... T'as vu ! » Il crie comme un gamin qui vient d'apercevoir sa première couleuvre. Il n'attend pas et reprend à bras le corps le petit qui, on le croirait, affiche un air de fierté. Fuentes le caresse. L'encourage. Le félicite et lui promet une récompense. Tous deux se dirigent vers la descente d'escalier. J'en déduis que Fuentes habite le sous-sol de l'immeuble. Je me lance à leurs trousses, je ne veux pas rester là, toute seule, à observer la bâtisse alors que le soir pointe son nez. Je me traîne de misère. J'ai envie d'uriner moi aussi. « Allez... Allez... » Mais je ne vais pas le faire sur place, ça c'est certain, récompense pas récompense.

Un triplex en hauteur c'est sans charme, sans style, surtout quand le recouvrement de crépi blanc a perdu tout éclat. C'est le royaume de la crasse et du vert-de-gris. Je comprends mieux pourquoi il appelle l'endroit son «cimetière». On dirait que les murs extérieurs cherchent à se débarrasser des fenêtres tant elles penchent comme des désespérés sur le point de se jeter dans le vide. Ouvrir ou fermer une de ces fenêtres ne se fait pas sans le risque de la détruire pour de bon. Les balcons sont sur le point de s'effondrer, tout en bas sur la voiture de Fuentes.

Nous nous enfonçons dans le vestibule qui mène au sous-sol. Je marche derrière Fuentes et le petit. L'endroit est sombre et encombré d'outils de jardin. Ceux d'hiver et ceux d'été s'y retrouvent pêle-mêle. Le refuge de Fuentes est là, au bas d'un escalier qui ne compte que trois marches qu'il prend le risque de survoler en sautant depuis la première jusqu'à la dernière. Ça l'amuse. Il tient le petit d'une seule main, de l'autre il manœuvre afin de réussir à tourner la clef dans le barillet de la serrure. Les cendres de sa cigarette tombent une à une sur la tête du petit. Ça me fait penser à l'hiver.

De toute évidence, il n'est pas aisé d'entrer chez Fuentes. Tant mieux, nous y serons en sécurité le petit et moi. Il vient à bout de la serrure et aussitôt nous invite à entrer. Il dit: «Je m'excuse pour le désordre», comme souvent lorsque tout est propre mais qu'on veut faire poli. Dans ce cas-ci, les excuses ne sont pas de trop. Ça empeste la fumée en plus. L'odeur me serre la gorge. Impossible d'y voir le bout de son nez. Fuentes allume enfin, et je réalise que les deux misérables fenêtres de la pièce ont été barricadées à l'aide de panneaux en bois et de couvertures. On se croirait dans un abri nucléaire, ou encore chez une personne souffrant d'intolérance chronique aux rayons UV. Une table de cuisine nous fait face, encombrée de cendriers. Ils sont si nombreux qu'il est difficile d'en faire un compte rapide. En plus, ils sont identiques les uns aux autres, Fuentes a dû les obtenir en lot, et tous remplis à ras bord. Pas de doute qu'il nous faudra manger ailleurs que sur cette table.

Fuentes se précipite vers le frigo avec le petit à ses trousses. Il dit : « Attends, z'ai quelque chose pour toi. » Il ouvre la porte et en tire un large carton qui cherche à se coincer dans la grille métallique. Il le dépose sur le sol, soulève le couvercle et répète le même ordre que tout à l'heure : « Allez... Allez... » La truie se jette sur les restes d'une pizza froide qu'elle engloutit jusqu'à la dernière olive. Je l'ai rarement vue aussi excitée, elle bouffe en piétinant le carton taché d'huile. Elle danse.

Fuentes décapsule deux bières et rigole comme un enfant qui se réjouit d'un bon coup. Assis à table chacun de notre côté, nous fumons le joint qu'il vient d'allumer au-dessus des cendres et des mégots. Deux soldats dans leur tranchée profitant d'une pause entre deux séances de tir. En sourdine, les grommellements du petit et ceux du frigo se font entendre. L'ambiance est à peine plus joyeuse que celle qui règne au fond d'une mine lorsqu'on se sait condamné à y rester. Le petit s'arrête de lécher le carton. Il se rapproche. Il renifle. Je fais le pari que s'il pouvait parler, il dirait un truc du genre : « Mais qu'est-ce que ça sent mauvais par ici ! »

Les grands yeux noirs de Fuentes se campent dans les miens. Il me fixe de la sorte pour ne pas avoir à reluquer les autres parties de mon corps. C'est ce que je pense. C'est ce que je crois à ce moment précis de ma vie de fugueuse. Je tente une diversion :

— C'est bien, chez toi !

En guise de réponse, j'ai droit au cul de sa bouteille qu'il cale en une dernière gorgée, faisant voir les miettes de pain et autres saletés qui s'y sont agglutinées. Il lâche un rot sonore, ne cherchant surtout pas à le taire. Il fait même des efforts pour un deuxième, qui finalement ne viendra pas. Pour finir, il dit :

— Viens, zé vais te faire visiter.

Me faire visiter quoi ? J'ai déjà tout vu, du moins il me semble. Ce logis ne compte qu'une seule pièce. Il se lève, je le suis au hasard des sacs de sport et des boîtes de carton qui encombrent l'endroit comme si Fuentes projetait un déménagement dans l'heure. Rapidement, nous nous retrouvons devant une porte, et puis devant une seconde. Deux pièces qui avaient échappé à mon observation des lieux, encore qu'il n'y a pas beaucoup plus d'éclairage que tout à l'heure. La première est une chiotte alors que l'autre est la chambre à coucher. Il y a un lit. Un immense lit. Le petit opte pour la première pièce, il s'y précipite pour y boire à la cuvette. Pendant ce temps nous pénétrons dans la seconde. L'odeur de la vanille est manifeste. La même vanille que dans la bagnole, avec cette fois-ci des effluves fruités en extra... Une odeur pas désagréable, mais pas agréable non plus. Le genre de fragrance que l'on vaporise pour masquer l'ancienne plutôt que pour en créer une nouvelle. Je cesse immédiatement de me tracasser avec les histoires d'odeurs lorsque Fuentes allume la lumière... Wow! Ce que je découvre est tout à fait impressionnant. Il y a une caméra... Non, deux caméras. Deux caméras montées sur des trépieds, ainsi que de grands réflecteurs en forme de parapluie qui font comme si on se trouvait Fuentes et moi sous les ailes d'un papillon géant. Et, dessous le papillon, le lit. Surdimensionné, le lit, et recouvert d'un drap de satin de couleur pourpre. Aux murs, de larges toiles de soie sont suspendues, reprenant les mêmes teintes de rouge. Il y a une certaine recherche dans la décoration. Enfin, si on veut. On se croirait en sol étranger. Je n'ai jamais mis les pieds en sol étranger, mais c'est comme ça que je m'imagine une chambre, disons... chez les Arabes. Je fais pivoter ma tête de gauche à droite afin de ne rien manquer. Je veux tout voir. Ce n'est pas souvent que je voyage. Pendant ce temps, Fuentes se déplace dans la pièce, replace une tenture, pousse du pied un câble électrique qui court sur le plancher. À partir de maintenant, il semble hyperoccupé. On dirait un metteur en scène sur un plateau de tournage.

Les explications viennent sans que j'aie à demander.

— Je fais des films ici. Là, c'est l'ordinateur. Tu vois... pour faire le montage, et ensuite... ensuite ça s'en va sur le Web.

Un claquement du majeur contre le pouce vient clore son explication. Le son meurt immédiatement, étouffé. J'essaie moi aussi. Le pouce, l'index. Même chose. L'insonorisation est maximale dans cette pièce. Fuentes m'observe du coin de l'œil et sourit.

— Tu peux crier si tu veux, personne ne t'entendra jamais.

La truie nous rejoint. Elle renifle, se lèche le groin, l'odeur des petits fruits doit y être pour quelque chose. Fuentes reste là à nous regarder toutes les deux, ses yeux comme les lentilles d'une caméra, tantôt sur moi tantôt sur la bête. Il se gratte l'entrejambe en même temps qu'il bâille à s'en décrocher les mâchoires. L'instant d'après, il me dit de monter sur le lit... Je monte. Il porte le petit jusqu'à moi et me demande de le tenir. Je ne sais plus quoi penser. J'essaie de ne penser à rien.

Faire silence dans un endroit pareil fait presque mal aux tympans. L'idée de crier à pleins poumons, comme me l'a suggéré Fuentes, ne m'inspire pas du tout à ce moment-ci. C'est tout le contraire qui m'interpelle. Me taire, à l'extrême... Je voudrais parler que j'en serais incapable. Pas même pour une demande anodine. « Je pourrais aller faire pipi ? » Et c'est là que me revient l'un de mes pires souvenirs. Comme quoi il n'y a pas de question anodine...

Je portais un costume d'ours. Entourée de compagnons de classe à leur tour travestis en bestioles de toutes espèces. Je soignais ma posture derrière le lourd rideau. La représentation allait bientôt débuter et chacun y allait de ses commentaires à propos de l'accoutrement de son voisin. On nous avait autorisés à jeter un coup d'œil vers la salle par l'entrebâillement du rideau de scène, tout en nous faisant promettre de ne pas révéler nos personnages au public qui arrivait par petites grappes. Malgré toutes nos précautions, des fragments de museaux et d'oreilles étaient visibles depuis la salle. Aussi, quelqu'un s'était écrié : « Un ours ! » Aussitôt, une responsable s'était chargée de nous faire regagner les coulisses en nous demandant de patienter sagement jusqu'au moment d'entrer en scène. Plus le temps passait et plus le supplice de se tenir immobile sous ces épaisses fourrures devenait insupportable. Heureusement, une préposée veillait à nous faire boire de l'eau régulièrement à l'aide d'une longue paille qu'elle insérait avec précaution par l'un des orifices de notre masque.

Une à une et dans un vacarme ahurissant de rires et de salutations, les familles gagnaient leurs sièges. Parvenir à se concentrer en dépit de tout ce bruit devenait un défi que je m'efforçais de relever. Pour ce faire, je répétais en boucle deux phrases qui allaient faire de moi, pour un bref instant, un personnage célèbre. « C'est moi, l'ours, et je vais vous manger ! » La commande était lourde !

Bientôt, les gens s'assirent et commencèrent à taper des mains pour encourager la représentation à débuter. De ce côté-ci du haut rideau, la tension était palpable et les petites bêtes commençaient à sautiller sur place. Les lumières de la salle perdirent lentement en intensité. Le mot de bienvenue fut prononcé et enfin le spectacle se mit en branle. Cette fois, c'était pour vrai. J'étais un ours.

Chacun à son tour se fourvoyait. Les répliques brèves duraient une éternité alors que les longs monologues étaient écourtés de moitié. Le public tentait de suivre en s'esclaffant là où le scénario suggérait d'être ému aux larmes. L'attente devenait interminable. J'aurais souhaité y aller de ma réplique, là, maintenant, et en finir une fois pour toutes. « C'est moi, l'ours, et je vais vous manger. » Mais pour l'instant, un arbre en était à se confier à une pierre des champs, et comme les ours ne mangent ni les arbres ni les pierres des champs, alors il ne me restait plus qu'à apprivoiser la patience. Je crevais de chaleur. Heureusement que la paille apparaissait de façon régulière dans l'ouverture de mon masque, j'avais plus qu'à ne pas me la prendre dans l'œil. Certains avaient été plus malchanceux que moi et hurlaient à mort, croyant qu'on venait de les rendre aveugles pour la vie. Un professeur portant un nez de clown avait pour mission de les réconforter rapidement, de manière à ce que tous, cyclopes ou non, soient en état d'entrer en scène lorsque leur tour viendrait.

On m'indiqua que le mien était arrivé. J'entendis l'auditoire réagir dès mes premiers pas sur scène. Oh ! Ah ! Ouhh ! Je produisais de l'effet. Il était prévu que j'aille me poster derrière deux bébés lapins, ce que je fis le temps qu'ils récitent leur texte jusqu'à la réplique finale : « Pourvu que l'ours ne nous trouve pas ! » Derrière quatre longues oreilles, j'observais ce qui, lors des répétitions, n'était que des sièges vides. J'étais impressionnée. Passé les premiers rangs cependant, plus personne n'était visible, sinon les reflets provenant des verres de leurs lunettes. Je balayais du regard les rangées les plus proches dans l'espoir d'apercevoir celle dont je souhaitais la présence. Mon père avait été plus facile à localiser, flanqué de ses quatre amis de toujours qui, en la circonstance, me procuraient une certaine assurance. Je me hissais légèrement sur la pointe des orteils afin d'être bien visible. Je me retenais de les saluer d'un mouvement de la patte puisque de telles familiarités n'avaient pas leur place sur une scène de théâtre. On nous l'avait dit et répété...

Pendant que les deux jeunes lapins tentaient désespérément d'atteindre la ligne finale de leur texte, je me mis à observer les mamans seules assises à la limite des éclairages. Peu nombreuses, toutes plus jolies les unes que les autres. Elles tenaient entre leurs mains les gerbes de fleurs à remettre à un des comédiens en toute fin de séance... Je faisais des paris, seule avec moi-même. « C'est celle-là... à moins que ce soit celle-ci ! »

Le trac me gagna d'un coup comme le frisson lorsque le vent tourne. Le trac, l'envie de pisser, plus l'éventualité d'une indigestion. Une combinaison de ces trois éléments et le tout en une fraction de seconde. L'air devenait une rareté. Je me sentais fiévreuse. Un bref coup d'œil aux amis de mon père ne fit qu'accroître mon désarroi, tous étaient à se pâmer de rire. Prise de panique, je résistais péniblement à la tentation de quitter la scène... Les idées s'entrechoquaient à l'intérieur de ma tête poilue, si bien que je ne savais plus très bien où en était le déroulement de l'intrigue. En plus, les haut-le-cœur s'accentuaient rien qu'à l'idée qu'il me fallait bouffer les deux bébés lapins avant la tombée du rideau...

Elle se leva. Je l'avais remarquée déjà, elle portait un tailleur gris. Et pour être tout à fait franche, elle était mon choix numéro un. Grande, belle et mince. Lorsque mon père se laisse aller à décrire la femme de ses rêves, il dit : « Grande, belle et mince. » Elle déposa la gerbe de fleurs sur son siège avant de disparaître tout au fond de la salle. J'étais abasourdie. Je voulais crier, mais ça aussi on nous l'avait interdit. Je me contentai de me gratter entre les oreilles à l'aide de mes griffes en réfléchissant au fait que je venais probablement de perdre ma mère pour la deuxième fois de ma vie...

Au même moment résonnait dans l'amphithéâtre ce qui aurait dû être pour moi une délivrance : « Pourvu que l'ours ne nous trouve pas... » Les deux paires d'oreilles s'écartèrent maladroitement en libérant tout juste l'espace nécessaire à ce que je m'avance sur le devant de la scène. Ce que je fis... en me vidant la vessie d'un seul trait. Ce fut l'euphorie générale. Certains spectateurs pleuraient tant ils rigolaient, d'autres se levaient de leur siège et en débattaient au coude à coude avec leurs voisins afin d'être les premiers à obtenir un cliché. Quant aux lapins, ils avaient déjà quitté la scène en hurlant, le regard horrifié.

Peu à peu, le calme revint... Les gens se rassirent alors que moi je demeurais debout et seule sur une scène devenue immense comme un océan. Depuis les coulisses, on m'encourageait à pousser ma réplique. Ce que j'essayais de faire afin que s'éteignent les projecteurs et que prenne fin mon supplice. Après un bref moment durant lequel je n'arrivais même plus à me rappeler mon nom, un tiroir de ma mémoire s'ouvrit pour laisser s'échapper les premiers mots de ce texte que je connaissais par cœur. « C'est moi... » De la salle, personne n'osait bouger, disposés qu'ils étaient pourtant à s'esclaffer à nouveau. Les frères, les sœurs, les papas, les mamans et les amis retenaient leur souffle pendant qu'un silence lourd comme le monde s'abattait sur la salle. L'ours, chancelant sur ses pattes trempées de pisse, fit pire que ce qu'il avait fait plus tôt. Il compléta sa phrase :

« C'est moi, Rose... et je vais vous manger ! »

Cindy

Pour la première fois depuis que j'ai quitté le village, je ressens le besoin de parler à quelqu'un, quelqu'un d'autre que Fuentes évidemment. Si seulement il m'était possible de la joindre, là, maintenant, mon amie Cindy.

Cindy a un corps de mannequin, y a pas à redire. Depuis la racine de ses cheveux jusqu'aux ongles de ses orteils, pas un centimètre n'est à retoucher. Ses courbes sont parfaites et de qualité supérieure à ce que l'on trouve sur les affiches vantant les crèmes anticellulite. C'est d'autant plus honorable puisqu'il est connu que ces photos sont le résultat d'habiles montages faisant appel à plusieurs mannequins afin de reconstituer la silhouette parfaite. Dans le cas de Cindy, tout est d'origine. Propriétaire unique.

Cindy était ma meilleure amie et l'est toujours, même si cela fait plus d'un an qu'on ne se fréquente plus, par décret du tribunal de la Chambre de la jeunesse daté du 16 juillet 2009. Je m'en souviens comme si c'était hier. L'atmosphère de désolation générale qui flottait à l'intérieur de la salle d'audience. Le masque d'incompréhension que portaient les parents de Cindy. Le mutisme de mon père. Les oreilles du juge... Tellement grandes, les oreilles, qu'il a même entendu des choses que nous n'avons jamais dites, Cindy et moi.

Exception faite de nos échanges virtuels, il n'y a plus de contact entre nous. C'est le prix à payer pour avoir fugué ensemble à deux reprises.

Peu de temps après que nos démêlés devant la justice aient été connus de leurs voisins, les parents de Cindy commencèrent à souffrir de l'attitude de ces derniers. Des portes se fermèrent autour d'eux et ils se retrouvèrent seuls à table lors des fêtes de quartier. Les deux devinrent vite irritables, au point de s'en prendre l'un à l'autre à propos de tout et de rien. Faut dire qu'ils venaient d'en baver un coup avec la mort du jeune frère de Cindy. Cette fois, c'en était trop. Ils décidèrent de plier bagage et d'aller plus au nord y installer ce qui restait de leur petite famille. Là-bas, dans une région éloignée, ils feraient le nécessaire afin de remettre en condition une vie familiale fracturée. Ils tenteraient de « vivre en harmonie au sein d'une famille unie », comme il est dit lors des rencontres pastorales ou de renouement conjugal. Aussi, l'espéraient-ils, ils trouveraient une explication à la disparition de leur fils. Qu'est-ce qui avait bien pu amener ce beau jeune à l'avenir prometteur à s'élancer du haut d'une falaise quelques années plus tôt?... Un programme chargé. Chargé et voué à l'échec, selon moi. Surtout en ce qui concernait la mort du fils. Ces parents-ci destinaient leur avenir à comprendre celui qui n'y était plus, au lieu d'entendre celle qui était là avec eux. Parler aux morts ne les ramène pas. C'est le genre de scénario qui vire irrémédiablement à la catastrophe.

Ils avaient séquestré mon amie en appelant cela de la réhabilitation. Ils faisaient fausse route. Tout ce que Cindy retiendrait de son exil forcé serait que se balader au sommet d'une falaise comporte des risques. Et cela, elle le savait déjà. Elle savait également que ces endroits représentent des symboles puissants aux yeux des jeunes. La recherche de soi-même ainsi que la liberté, entre autres. Bien des adultes devenus parents refusent de poser les pieds à des endroits pareils.

Voilà comment Cindy, mineure et sans cellulite, immigra vers le nord.

Ce n'était pas très malin de leur part quand j'y pense, aux parents, au juge et à sa cour, de nous interdire toute fréquentation. Grâce au Web, on se voyait davantage qu'avant la condamnation. Il est étonnant de constater combien certaines personnes peuvent être déconnectées de la réalité malgré le fait qu'elles ont le nez collé à un téléphone intelligent du matin jusqu'au soir. Je revois l'ordinateur du juge, l'écran déployé devant lui, son air savant au moment du prononcé de la sentence...

Si l'on remonte à la période précédant la décision du tribunal, Cindy et moi étions de véritables inséparables.

Bien des gens peuvent en témoigner, au-delà de ceux qui radotent en affirmant qu'une grosse se balade immanquablement accompagnée d'une belle, ou l'inverse... Peu importe ce que racontent ceux-là, moi, cela me faisait un bien énorme de savoir tous ces regards tournés vers elle, et puis ensuite vers moi. Vraiment, c'était thérapeutique, et surtout beaucoup plus agréable que de revivre un malheur au nez d'un inconnu à grosses joues qui prend des notes dans un calepin brun.

Outre son corps de déesse, mon amie Cindy possédait plusieurs autres attributs, dont un tempérament explosif. «Les raccourcis existent pour être utilisés», disait-elle en quittant les rangs d'un bond et en invitant tous les élèves au désordre général. Un garçon lui plaisait qu'aussitôt elle l'interpellait: «Hé, toi, tu me plais!» Du jamais vu. Depuis huit heures le matin jusqu'à la fin des classes, Cindy accaparait notre attention au point où, durant ses journées d'absences, nous nous retrouvions devant rien, perdus, démotivés, à attendre patiemment le retour de notre reine.

— Rose!

— ...

— Ta photo sur le Web!

— ...

— Il le faut, Rose, tu verras!

Lorsque Cindy venait à la ferme, donc avant juillet 2009, mon père préférait de beaucoup la savoir à mes côtés à écouter du rap plutôt qu'auprès des bêtes à tenter d'en attraper une « pour vérifier si ça sent réellement le jambon ». « Rose, essaie de la calmer, tu veux bien », disait-il d'une voix assez forte pour être bien certain qu'elle avait entendu et compris. Mais Cindy n'était pas du genre à obéir aux ordres, et peu importe de qui ils émanaient, les ordres. Ceux qui la connaissaient savaient cela. Mon père avait pigé rapidement et s'était adapté. Plutôt que de la confronter, il lui commandait le contraire de ce qu'il attendait d'elle. S'il la voulait à un endroit donné, il lui disait : « Et surtout, n'y va pas, Cindy ! » Et elle s'engageait sur-le-champ vers la destination interdite. Ces deux-là n'ont jamais eu de prise de bec. « Ton père n'est pas si mal », disait mon amie. Mon père, lui, ne disait rien, préférant savourer sa victoire en silence. Pendant ce temps, à l'école, on essayait de la casser. Ils auraient eu tout avantage à adopter la technique de mon père, ceux-là. Mais bon... Faut aussi dire, dans le cas de mon père, que son métier de publicitaire lui avait appris à mentir impunément et sans remords. Comme il le confiait à l'occasion en parlant de ses clients : « S'il fallait que je leur dise la vérité, je courrais à la faillite ! » Pour finir, Cindy s'éloignait en se dandinant du fessier dans des jeans aux allures de collant. Et les amis de mon père, dans le rôle de ceux qui n'ont rien remarqué, performaient lamentablement.

Nous étions potes, elle et moi.

L'une de nos distractions favorites consistait à nous cacher parmi les longues herbes pour se partager une bière piquée dans la réserve paternelle. Blotties l'une contre l'autre, il nous semblait au bout de quelques gorgées que la vie s'affrontait plus aisément. Cela ne tardait jamais beaucoup avant que l'on mette à jour la liste de ceux et celles qui avaient médit à notre sujet, ensemble ou séparément. Nous émettions à leur intention de bien sombres prédictions. Cindy possédait l'énergie de la combattante, et je l'admirais pour cela. Elle le savait, et elle tentait par tous les moyens de me transmettre ce don.

Une fois réglé le sort des autres, nous en venions immanquablement à discuter du nôtre... Et là, souvent, les larmes coulaient. Nous ne pleurions pas de découragement, mais bien parce que nous étions conscientes de cette chance que nous avions, cette chance de pouvoir compter l'une sur l'autre, l'une pour l'autre. Nous pleurions d'amitié, de vérité et de confiance ressentie. Souvent, elle demandait :

— Elle te fait peur, toi, la vie ?

— Parfois, et toi ?

— Et moi, je te fais peur aussi ?

— Toi, jamais !

Et puis venait le tour des garçons...

— Les garçons craignent les folles, Rose.

— Tu crois que tu es folle ?

— Ça, oui...

À partir de là, je ne savais plus quoi dire. C'était pareil chaque fois. Que doit-on raconter à quelqu'un qui se croit fou ? Et elle s'écrasait, comme ça, d'un seul coup, comme un gâteau qui refuse de lever. Et elle devenait moins belle. Puis, un jour, je lui dis ceci :

— Qu'est-ce qui t'arrive, Cindy ?

— ...

— Faut pas t'en faire, un jour tu rencontreras un garçon aussi fou que toi.

J'avais dit ça sans trop y penser, pour faire vite puisque c'est bien cela qui compte, la vitesse, lorsque le désespoir s'empare de la personne qui vous fait face. Et ne rien dire équivaut à pousser la désespérée dans le vide. Alors mieux vaut servir un truc du genre : « Ça s'arrangera, tu verras », même si c'est bidon. Quelle impression étrange ça faisait quand même de voir Cindy désarçonnée de la sorte, elle qui jamais ne craquait... Peu importe l'épreuve, peu importe le juge.

— C'est chaque fois pareil... Au départ, le garçon me trouve originale. Mais très vite il insiste pour que je plaque mon comportement à celui des autres filles, que je me plie à la norme... J'y arrive difficilement, moi, à me plier, dans un sens ou dans l'autre. C'est pas exprès, c'est comme ça. Le garçon, lui, ça le fait flipper. Il s'énerve. Mes cheveux, le timbre de ma voix, la façon dont je marche, tout en moi l'irrite au plus haut point. Les garçons s'énervent pour un rien, Rose, tu verras.

J'avais passé mon bras autour de son cou, comme ça, pour lui faire du bien. Je n'étais peut-être pas un garçon, et en plus j'étais énorme, mais j'étais là et je la comprenais... Quoique pas tout à fait. Moi, si un garçon me demandait d'ajuster mon comportement, eh bien je crois que j'essaierais... Mais on n'était pas là pour ma peine à moi.

Elle avait enchaîné avec ceci :

— Après la mort de mon frère, j'ai demandé à avoir un chien à la maison. Le chiot est arrivé, apportant avec lui un peu de bonheur. Il courait partout, il était plein de vie. Au bout d'une quinzaine de jours, mon père a sauté les plombs et a rendu le chien à l'animalerie. Je l'ai attendu durant de longues heures, me défonçant toujours un peu plus à mesure qu'il se faisait attendre. Dès son retour, je lui suis tombée dessus. J'étais bourrée, bourrée mais lucide. Bourrée consciente ! J'ai dit : « Les chiens t'énervent, d'accord, mais ta femme t'énerve, ton enfant t'énerve et tes clients t'énervent, alors t'attends quoi pour les rendre ceux-là aussi ? » Il a piqué une crise terrible. Ma mère est intervenue pour tenter de le raisonner, puis a rapidement changé de camp. Les deux sont devenus hystériques et m'ont traitée de droguée incurable. Pour finir, mon père a crié : « Pourquoi tu n'es pas capable de te conduire comme ton frère ? » Et ma mère de répéter : « Pourquoi tu n'es pas capable de faire comme lui ? » J'ai répondu : « Dès que je trouve une falaise assez abrupte, je m'y mets... »

— Le mien, de père, c'est quand il dort qu'il s'énerve...

— ...

— Toujours il s'éveille en sursaut en disant : « Hein ? »

En dépit du fait qu'elle venait de relater un drame et moi une anecdote, nos douleurs étaient comparables. Bien sûr, j'étais énorme et elle splendide, mais en matière de souffrance nous nous ressemblions comme des siamoises. Mais je n'allais pas l'embêter maintenant avec mes préoccupations de poids, ce n'était pas le moment.

J'avais retiré mon bras de ses épaules, pris sa main dans la mienne et l'avais serrée très fort. Elle avait souri sans rien dire. Ça lui arrivait rarement de ne rien dire, Cindy, ça faisait étrange. Mais son sourire... Il était tellement bon à voir, celui-là, que j'en aurais pris à l'infini, et un peu plus encore. À la suite de cela, elle avait dégagé sa main de dedans la mienne et s'était mise à déballer son iPod. Elle m'avait refilé l'une des deux oreillettes pour que je puisse entendre aussi. Cindy disait souvent que la musique est à partager, qu'elle est conçue pour cela. « Sinon les compositeurs se la garderaient pour eux tout seuls sans plus jamais sortir de leur chambre, et le reste du monde serait mort d'ennui... » Bientôt, un rappeur s'était mis à énumérer ce qui fait défaut dans le monde. La liste était exhaustive, le garçon avait du souffle. Et pourquoi ceci, et pourquoi cela, « et pourquoi elle arrive jamais, l'aide humanitaire », en se décourageant pour la peine de tout ce qui reste à venir. Et puis, Cindy avait dit :

— Cette musique est la mienne, Rose..., en élevant la voix comme le font ceux qui tentent de dialoguer coiffés d'un casque d'écoute.

Moi :

— Oui, je le sais...

Cindy :

— Faut entendre ce qu'ils racontent...

Et puis, lancée comme toujours et donc impossible à contenir :

— Ceux et celles qui disent ne pas pouvoir supporter cette musique ne se sont seulement jamais donné la peine de l'écouter... Pas un seul titre, pas une seule parole, et cela me désole. Le rap est un riche bouquin qui s'écrit au jour le jour, et des milliers d'auteurs de par le monde participent au projet. De nouvelles pages se greffent aux précédentes et c'est ainsi que se créent les chapitres, au fur et à mesure que nous fonçons vers l'avenir. Dans cent ans d'ici, on redécouvrira ces textes en se disant que les jeunes d'aujourd'hui se soûlaient de rap comme les plus anciens s'enivraient de romans, et que c'est du pareil au même. Ceux qui avancent que les jeunes d'aujourd'hui ne lisent plus n'y sont pas du tout. Ils ne voient pas, Rose... Ils ne voient pas que c'est le format du bouquin qui a changé.

Elle s'était raidie d'un trait, le temps de scruter l'horizon comme le gibier lorsqu'il se sent traqué par un chasseur embusqué, alors qu'en vérité elle n'en avait que faire des chasseurs, Cindy, embusqués ou autrement. Elle disait ce qu'elle avait à dire et devant qui elle voulait, fût-il armé jusqu'aux dents ou en pantoufles devant un écran de télé.

— Avant l'apparition du premier livre, tu sais comment devait s'y prendre celui que les lettres passionnaient? Il devait mémoriser les textes, Rose... Il les mémorisait du premier au dernier mot pour ensuite les réciter devant ceux qui partageaient sa passion. Imagine un peu!

J'avais dès cet instant songé à l'entretenir de mes problèmes de mémoire, mais elle me prit de vitesse.

— Peu de temps avant sa mort, mon frère a été victime de racket... On lui a tout pris, ses souliers de sport, sa casquette, son portable, même ses prothèses dentaires... Mais sa plus grande perte a été, et de loin, son iPod. Il s'est retrouvé privé de musique du jour au lendemain. Plus de mots, ni de mélodies. Il disait: « J'ai le sentiment d'être quelqu'un à qui on a crevé les tympans. » Mon iPod à moi contenait l'intégrale des chansons qu'il aimait. Tout n'était donc pas perdu... Il s'est alors mis en tête de se venger. Il se vengerait en s'imposant lui-même une corvée, la plus lourde qu'il ait jamais menée à terme. Il allait mémoriser tout le contenu de mon iPod. Chaque parole, chaque titre. En tout une centaine d'albums, que du rap. « Ils ne vont plus jamais rien me prendre », disait-il dans les rares moments où il n'avait pas d'écouteur dans l'oreille. Je partageais le mien avec lui, chacun avec une oreillette, comme avec toi maintenant. On vivait comme des inséparables, lui et moi, je savais où le trouver, il était toujours là, du côté droit. Ça a duré plusieurs semaines, évidemment, plusieurs mois même, je sais plus combien, j'ai arrêté de compter à partir d'un certain moment, croyant qu'il n'y arriverait jamais. Il était comme un zombi. De jour, de nuit, sa tête bougeait sans cesse comme si, à l'intérieur, s'entassaient les caractères... Majuscules, minuscules, ils étaient des milliers, les caractères, à se prendre une place tant qu'il y en aurait, en se serrant les uns sur les autres. Enfin, c'est comme ça que je voyais les choses dans la mienne, de tête. Puis, un jour, il a dit : « Ça y est, j'ai tout, tout, là », en se tapant le crâne avec le poing. Par la suite, il n'a plus jamais cessé de réciter à haute voix. Des pages et des pages qu'il récitait, même que ceux qui avaient cru le déposséder l'écoutaient à présent. Jusqu'au jour où l'un de ceux-là lui a dit : « Ta gueule, ou on te prend ta langue... »

— Et alors ?

— Il s'est jamais arrêté... Tu verras, Rose, y en a qui savent être cruels.

Lorsqu'elle était lancée, Cindy, il n'y avait plus moyen de l'arrêter. Et pourquoi l'aurait-on arrêtée, en fait ? Elle nous apprenait tellement de choses sur la vie que se priver de ses récits aurait été comme arracher les pages d'un précieux manuel de référence.

« Tu verras ceci... Tu verras cela... »

Je l'écoutais avec attention. Il n'y avait pas d'autres façons de faire lorsqu'elle parlait. Elle savait tant captiver son auditoire que plus rien d'autre ne comptait autour. Elle parlait comme d'autres chantent. « Tu verras, Rose, les garçons s'excitent rapidement. » « Tu verras, Rose, le fromage en tranches favorise le cancer. Tu verras... »

« Fumer n'empêche pas de grandir. »

« Le sperme pré-éjaculatoire est très fertile. »

« Le brocoli ne prévient aucune maladie, en plus c'est dégueulasse. »

« L'attente vaut mieux que les retrouvailles. »

« Les gars aiment ça avec la bouche. »

« Tu peux poursuivre en justice tes profs ainsi que tes parents. »

« Les flics ont peur eux aussi. »

« La planète regorge de pétrole pour encore très très très longtemps. »

« Le trou dans la couche d'ozone n'est pas un racket, mais si, un peu tout de même. »

« *Les gros vivent moins longtemps!* »

J'essayais à mon tour de tout mémoriser de manière à ce qu'on ne me dépouille jamais de cet enseignement-là. Une précieuse trousse de survie pour l'avenir. Autant je peinais à retenir différentes notions, mes leçons par exemple, autant ce que disait Cindy s'imprégnait profondément dans ma mémoire. Vraiment. Même que, parfois, j'essayais de ne plus me rappeler. Sans succès... « Les gros vivent moins longtemps! »

Cindy possédait un don, il n'y avait pas à en douter. Si ça n'avait été l'étiquette « mauvaise influence sur ses semblables » que lui avaient accolée les professeurs, cette fille aurait été pressentie pour l'enseignement.

Elle avait allumé un joint sans seulement se préoccuper de savoir si quelqu'un nous voyait ou pas. De toute manière, une fois son petit cul reluqué lorsqu'elle le trimbalait sous leur nez, les amis de mon père ne se souciaient guère des allées et venues de Cindy, la copine de Rose. Nous pouvions fumer sans être embêtées.

Une fois retirées de nos oreilles, les oreillettes prenaient l'apparence de deux gros insectes bourdonnant sur le foin battu. Il n'y avait plus que la musique du vent et celle des machines agricoles qui grondaient au loin. J'attendais, le dos courbé et la tête tombant vers l'avant, tel un chien en captivité attendant son maître dans une cage trop courte pour sa taille. J'attendais que mon amie m'oriente vers une quelconque activité. C'était le sort réservé à tous ceux de nous qui fréquentions Cindy. Elle était le commandant, et nous les soldats. Nous formions l'orchestre dont elle était le chef. Voilà.

Cindy semblait en avoir terminé avec son énumération de « tu verras ceci... tu verras cela ». Elle s'était affaissée dans l'herbe, dans une posture qui ne l'avantageait pas réellement cette fois. Malgré cela, elle était belle. Belle comme une bagnole de luxe en panne et mal garée sur le bas-côté d'un chemin de fortune. Elle venait d'allumer son deuxième joint lorsqu'elle me fit signe de m'avancer. Je m'approchai en me traînant dans l'herbe. Elle tirait sur son joint sans parler. Elle avait déplié son bras et sa main rejoignait ma nuque, amenant ma tête à hauteur de la sienne, puis un peu plus près, jusqu'à ce que son front touche le mien...

Cindy soufflait sur mes lèvres aussi précautionneusement qu'une maman sur le doigt de son enfant, strié d'une entaille. Depuis sa bouche, un mince filet de fumée cherchait à pénétrer dans la mienne. Je n'avais encore jamais fumé de cette manière. Un génie allait entrer en moi depuis le corps de Cindy. Il voyagerait depuis mes poumons dans chaque veine de mon corps, et jusqu'à mon cœur qu'il remplirait de bonheur. Je n'avais qu'à inspirer profondément, le génie ferait le reste. Cindy avait apposé ses pouces contre mes paupières, j'avais fermé les yeux, et puis elle m'avait embrassée. Un vrai baiser, c'était. Un baiser intense, un baiser qui dure. Rien à voir avec le truc joyeux anniversaire ou encore la bise à la française. Je cherchais une explication à son geste pendant que Cindy restait là à m'embrasser. Une plaisanterie ? Ce baiser durait depuis maintenant trop longtemps pour que ce soit une blague. Et puis sa bouche n'avait rien de la bouche de quelqu'un qui rigole.

Je goûtais son chewing-gum, maintenant... À la fraise. Elle avait glissé sa langue à l'intérieur de ma bouche, effleuré la mienne, puis s'était retirée avec la rapidité du serpent venu mordre sa proie. Mais elle revenait à l'attaque, toujours et encore, en s'attardant un peu plus à chacune des visites, jusqu'à ce que tombe toute retenue. Cindy se servait de ma bouche comme si elle avait été la sienne. Dans l'excitation du moment, j'avais décidé d'attaquer à mon tour... Ses lèvres étaient plus douces et plus tendres que les miennes. L'expérience, probablement. Ma langue glissait dessus, et à peine frôlées elles s'entrouvraient comme si elles m'avaient reconnue et avaient envie de moi. J'avais peine à y croire. J'embrassais quelqu'un. Le plus simplement du monde, le plus tendrement du monde, sans seulement avoir obtenu quelque chose comme une permission au préalable. Moi qui croyais qu'un code secret était nécessaire pour que deux personnes s'acceptent de la sorte... J'étais au pays des découvertes et n'envisageais aucun retour dans un délai raisonnable. Je goûtais au plaisir et il avait parfum de fraise.

Comme si une sonnerie avait annoncé la fin d'un round, Cindy s'était détachée de moi en s'écriant :

— Respire, sinon tu vas crever !

Elle disait juste. Comme souvent... J'étais sur le point de perdre conscience et je ne l'avais même pas réalisé. Je vivais l'ivresse du plongeur qui, devant la beauté des fonds marins, tarde à refaire surface et crève en pâmoison. Paraît que les profondeurs de l'océan en sont remplies, de cadavres d'hommes-grenouilles sourire aux lèvres.

La première chose que j'avais faite une fois mes paupières ouvertes avait été de jeter un coup d'œil en direction de la maison de mon père... que je n'avais pas reconnue sur le coup. Pareil pour les autres bâtiments au loin. J'avais dû mettre un peu de temps, mais surtout de la bonne volonté à accepter le retour à la réalité.

— Tiens, la grange centenaire...

Même, elle avait perdu de l'intérêt à présent que j'étais montée plus haut. C'est le principe des drogues fortes, une fois qu'on y goûte le simple joint perd de son intérêt. Les revendeurs savent cela, et bien d'autres choses encore. Je rentrais tout juste d'un voyage extraordinaire et j'en déplorais déjà la trop brève durée. J'hésitais entre défaire mes bagages et repartir sur-le-champ, et en même temps... en même temps j'éprouvais une sorte de gêne vis-à-vis de Cindy. J'avais l'impression d'être nue devant une étrangère, à la recherche de mes vêtements que le vent aurait emportés. Les secondes avaient des gueules d'heures... De son côté, Cindy enroulait le fil de ses écouteurs avec détachement. Ses gestes, lents, rappelaient la routine du secouriste qui, tout bonnement après avoir sauvé une vie, range ses équipements avant de rentrer chez lui prendre un peu de repos.

J'étais embêtée. Quoi faire ? Que dire ? Merci ? Non mais, qu'est-ce qui t'a pris ? On remet ça ? En fin de compte, c'est elle qui avait pris les devants.

— T'as qu'à faire pareil avec un garçon à présent que tu sais.

Qu'est-ce que ça m'avait fait comme bien, que je puisse entendre de telles paroles à ce moment-ci de mon existence ! Elle n'avait pas idée... Et puis, peut-être que si, elle savait... Peut-être même qu'elle l'avait fait exprès. Elle était comme ça, Cindy, et pas autrement, prête à vous sauver la vie. Et ce n'est pas commun une belle qui en sauve une grosse ! Je me sentais pousser des ailes, les ailes d'un ange. Quelques mois auparavant, une fille de notre école s'était pendue parce qu'elle se croyait moche et finie. Si seulement je les avais eues à ce moment, mes ailes, si seulement j'avais su mettre ma langue dans sa bouche...

Les vieux n'oublient pas

Les vieux n'oublient pas... Du moins ceux de mon village. Ils se souviennent aussi bien des lieux que des objets et tiennent aux uns comme aux autres.

Répare-Tout est le nom d'un petit commerce situé tout juste à l'écart de mon village. On peut dire en banlieue si on veut faire grande ville. Une boutique comme on n'en trouve plus nulle part parce qu'identique à ce qu'elle aurait pu être dans les années cinquante, si elle avait existé en ce temps-là. Ni le chic ni les tendances n'ont eu prise sur ce commerce. Son personnel au dos voûté et l'inventaire bric-à-brac qui s'y trouve nous en fournit une preuve dès qu'on passe la porte. L'article le plus récent de l'inventaire date de soixante ans au moins. Même l'odeur de la place appartient au passé. Ça sent le vieux... Ça sent aussi les produits pétroliers et les pneumatiques pour voitures entassés ici du temps où l'ancienne occupante des lieux, la pétrolière BP, opérait le commerce. Une époque que ceux de ma génération n'ont pas connue mais se font raconter allègrement. Une époque à laquelle nous empruntons à l'occasion une coupe de cheveux ou encore un modèle de verres fumés. Les voitures étaient lourdes et gigantesques, et l'abondance devait durer toujours. Ces bolides se conduisaient sans la ceinture de sécurité et une bouteille de bière entre les cuisses. L'honnête travailleur du temps est donc devenu le criminel d'aujourd'hui, au sens de la loi.

Bien que le nom Répare-Tout ne figure sur aucune affiche, l'entreprise est connue de tous. Il y aurait à réfléchir sur les dépenses publicitaires des commerçants de maintenant. En raison de l'âge du personnel, Répare-Tout est l'endroit où l'on reconditionne un peu de tout et n'importe quoi pourvu que l'article soit de taille raisonnable. À quatre-vingt-sept ans de moyenne, il ne serait pas sage d'imposer aux vieux la manipulation d'objets lourds. C'est là la première restriction, sinon le client peut y apporter l'accessoire de son choix afin de lui offrir une seconde chance d'être utile... La deuxième règle, non officielle mais connue de tous, est que Répare-Tout n'a que faire des situations d'urgence. Le service rapide n'est pas offert, bien que les vieux travailleurs s'acharnent à leurs établis six jours sur sept. «*Fermé le dimanche*», indique l'écriteau au carreau de la porte.

«Tout peut encore servir», répondent les vieux lorsqu'on demande. Pour ces hommes au cheveu rare, dont le nombre varie au gré des mauvais rhumes, les noms Microsoft ou IBM n'évoquent rien de familier.

L'ordinateur... Bien sûr ils connaissent, mais comme aucun d'eux n'en a encore tâté, jamais ils ne se risqueraient à en faire la réparation. Et puis il y a tant à réparer. Deux siècles que l'homme fabrique à tout vent sans seulement se demander si les gens ont besoin de tant. Entourés de mille articles qui font de l'endroit un musée de l'objet hétéroclite, ils répètent sans se lasser : « Jeter... quel gaspillage ! »

Dès l'âge de huit ans, mon père m'y déposait de façon régulière. Aussitôt après, il repartait l'esprit en paix, libre de faire ses courses dans les villages voisins. J'étais l'invitée de la maison, je pouvais aller et venir à ma guise, regarder, toucher, manipuler sans même avoir à demander. Mon père savait qu'il n'y avait rien à craindre de ces bons samaritains, sinon une saute d'humeur ici et là, provoquée par les rhumatismes...

Ce que je préférais, au-delà de tout, était de m'étendre sur une table en plein centre de l'endroit. Couchée sur le dos, j'en avais pour longtemps à observer les objets pêle-mêle suspendus au plafond. Je m'émerveillais devant un lot d'antennes de télévision, de celles qu'on appelait autrefois « oreilles de lapin ». Plus loin, une guitare esseulée pendue au bout d'une corde tournait le dos à une tête d'orignal empaillée. J'y passais des heures, et ces heures étaient les seules durant lesquelles je ne pensais pas à elle. Je me tenais immobile, tandis que les autres s'activaient à remplacer le cordon d'une lampe ou à jouer du tournevis contre le couvercle d'une boîte à musique qui refusait de s'ouvrir.

Les vieux artisans étaient à leur besogne ce que j'étais à la rêverie. À l'occasion, une quinte de toux venait me distraire, et lorsqu'elle perdurait, je jetais un coup d'œil à celui qui était forcé de déposer les armes, le temps d'affronter une réalité qu'ils cherchaient à oublier : la vieillesse. Souvent, ça se terminait sur des paroles du genre : « Pour la santé, on n'y arrive pas, mais pour le reste, ça se rafistole toujours. »

Pas de radio en sourdine ou de téléviseur en fonction autrement que pour en faire le réglage. Aucun son autre que celui de ces hommes qui sifflaient en travaillant, exprimant le simple bonheur d'être à faire ce qu'ils aimaient. Un premier s'exécutait... puis les autres l'imitaient. Chacun sa mélodie. Le résultat était un bruit indescriptible. Paraît que Beethoven parvenait à diriger l'orchestre malgré sa surdité. Ici, c'est l'ensemble au grand complet qui n'entendait plus...

Un jour, j'avais apporté une poupée à moi amputée de la tête, un cadeau de ma mère. Un mois et un dollar plus tard, ma poupée me revenait munie d'une tête nouvelle... Plutôt que sa crinière brune elle portait maintenant une chevelure d'un blond ardent lui tombant sur les épaules. Devant mon étonnement, l'un des vieux avait dit que les poupées, comme les gens, se transforment en vieillissant, et souvent pour le mieux.

L'espoir se pose là où on ne l'attend pas. Cette fois, c'est dans un garage désaffecté à l'odeur de caoutchouc ranci qu'il avait choisi de débarquer.

Les jumelles

Devant moi, des jumelles. Identiques, sauf la couleur des cheveux. Leurs corps sont droits comme des piquets dont on aurait cimenté la base dans le sol. Si elles n'agitaient pas continuellement leurs têtes, je croirais avoir affaire à deux mannequins directement sortis d'une vitrine. Fuentes les aurait transportés jusqu'ici après les avoir récupérés auprès d'un commerçant qui n'en voulait plus. C'est son genre, rapporter chez lui ce qu'il trouve sur la route. Heureusement qu'il y a leurs chevelures, alors qu'une est blonde l'autre est noire, sinon les différencier tiendrait du jeu de hasard. Sans les cheveux, c'est deux fois la même personne, et un cauchemar éveillé pour celle qui vous raconte.

C'est déjà un peu le cauchemar ici. Je suis allongée sur le vieux fauteuil où, quelques minutes plus tôt, j'étais enfin parvenue à trouver le sommeil. Mais voilà qu'une double apparition a mis un terme à ma nuit. Je prends appui sur les coudes, là, comme ça, et j'essaie d'y voir clair. Je demande :

— Quelqu'un pourrait ouvrir ?

Elles font :

— Quoi ?

Mais un tout petit « quoi », ni menaçant, ni rien. Je répète :

— La lumière, s'il vous plaît !

Je me demande réellement ce que ces deux-là font ici, d'autant plus qu'elles ne sont même pas foutues d'allumer la lumière. Au lieu de s'excuser ou de s'expliquer, elles jacassent entre elles. On dirait deux pigeons qui roucoulent sans pour autant se comprendre, et qu'au bout du compte l'un s'envolera dès que l'autre se mettra à battre des ailes. En tout cas, si c'est une blague, elle a assez duré.

J'ai beau prêter l'oreille, aucun son n'émane de la chambre de Fuentes, pas plus que des chiottes. Fuentes sera sorti chercher des provisions. « Pepsi, cigarettes, voire l'essentiel », comme il dit. Il aura amené le petit avec lui pour me laisser prendre un peu de repos. Le réveil indique 6 h 40 lorsque la blonde – appelons-la ainsi puisque l'autre est noire –, qui en réalité n'est pas blonde mais platine, s'acharne rageusement contre son minuscule sac à main. Elle gesticule et piétine sur place comme un cheval qui s'impatiente. Bientôt, son visage s'illumine et elle exhibe un joint énorme... Mais vraiment énorme, surtout si on tient compte du format de son sac à main. D'un geste précipité, comme si sa vie en dépendait, elle enflamme l'une des extrémités puis introduit l'autre bout entre ses lèvres. Dès cet instant, je comprends qu'elles sont bien des amies de Fuentes.

Il est maintenant 6 h 42, moment de la journée où la plupart des filles de leur âge avalent un yogourt plutôt que de fumer un joint. Je remarque que leurs gestes sont parfaitement synchronisés lorsqu'elles s'avancent vers moi. Leurs longs bras se balancent d'avant en arrière, imitant le pendule d'une horloge. Elles font pareil que les filles des défilés de mode. Plus elles s'approchent et plus je constate combien elles sont belles toutes les deux. En quelques enjambées, les voilà à ma hauteur. Plus grandes et plus fines que tout à l'heure, il me semble. J'essaie de me redresser un peu, histoire de gagner un centimètre ou deux. Elles ne bougent plus. En équilibre sur leurs jambes absolument parfaites, elles s'adonnent à un léger balancement de la rotule depuis l'intérieur jusqu'à l'extérieur de la jambe. Axe horizontal. Elles créent du mouvement tout en étant immobiles.

La blonde me tend le joint géant qui continue de brûler et d'emboucaner la place. Je décide d'accepter en me disant que cela est une bonne façon de vérifier si tout ceci est bel et bien réel ou si je me trouve dans un rêve qui refuse de prendre fin. Après m'être servie, je rends le joint géant à l'autre jumelle – les cheveux noirs –, et je remarque l'écusson sur le devant de son chemisier. *« Collège supérieur d'enseignement privé. »*

— Je m'appelle Rose...

— Charlotte et Joëlle, réplique-t-elle en exécutant un léger signe de l'index, se désignant comme Charlotte et l'autre comme Joëlle.

— Comment faites-vous pour vos jambes? je demande le plus sérieusement du monde.

Joëlle:

— On ne fait rien du tout...

Charlotte:

— On boit de l'eau...

Du coup, elles allongent le pied, pointent les orteils, font courir leur regard depuis la cheville jusqu'en haut de la cuisse, l'air étonné que ces jambes soient rattachées à leurs corps.

«Rien du tout, avec de l'eau!» Eh bien, avoir su... la crainte se dissipe. Je viens de faire la connaissance des jumelles. Je fume un joint en leur compagnie. Il est 6 h 57. Je suis toujours à méditer sur le traitement à suivre pour mériter une telle silhouette de mannequin, lorsque l'écho d'un bruit provenant de l'extérieur résonne dans toute la place. Joëlle, Charlotte et moi identifions immédiatement la source du vacarme, et ce, dès les premiers soubresauts. Fuentes vient de sauter de la première à la dernière marche extérieure tout en survolant les autres, comme l'aurait fait un singe. Depuis l'intérieur cependant, le bruit laisse plutôt croire à l'arrivée d'un gorille. Et cela peut être très intimidant, un gorille.

Intimidation...

L'intimidation est affaire de gentillesse. Fuentes s'est invité chez un voisin qui critiquait son mode de vie. Il s'est montré d'une politesse irréprochable envers ce voisin. Il s'est attiré sa sympathie. « La voiture est bruyante, je rentre tard. Je suis désolé, je verrai à remplacer le silencieux dès que j'aurai amassé suffisamment de sous pour le faire. » Ce même soir, lorsque le voisin posera la tête sur l'oreiller, son opinion ne sera plus ce qu'elle était. Fuentes n'est pas aussi mauvais qu'il se l'imaginait avant sa visite-surprise. Le mode de vie de ce jeune ne regarde que lui après tout! Subitement, il éprouvera des remords pour avoir déposé une plainte au service de police. Résolu à ne plus jamais avoir recours aux forces de l'ordre dans l'avenir, il s'endormira. Désormais, le bruit du silencieux défectueux ne troublera plus son sommeil.

***

J'accompagne les jumelles à longueur de semaine. Nous faisons la route ensemble elles et moi, en taxi. Fuentes ne se déplace pas, il reste à la maison d'où il organise les rendez-vous. Les jumelles ne sortent pas le lundi, elles se reposent comme le font les coiffeuses et les barmaids. Je me demande comment elles arrivent à tenir le coup avec une seule journée de repos. Le collège le jour, le travail la nuit. Sans les amphétamines, elles n'y arriveraient pas, moi non plus d'ailleurs, c'est l'évidence.

Les jumelles habitent une banlieue cossue, avec des pelouses semblables à des tapis et des portes de garage qui se comptent par trois. Un endroit plus tranquille qu'à la campagne, et qui ne sent pas. Un endroit inodore. Fuentes a baptisé ce quartier «le royaume du système d'alarme», viscéralement fasciné par ce qui s'y trouve comme caméras, coupoles et détecteurs infrarouges. «Y en a pour une fortune», zézaye-t-il. Le fric l'impressionne, ça oui. Il en parle et ses yeux s'illuminent comme s'il avait le feu derrière, à l'intérieur de son crâne. Y a que lorsqu'il parle d'argent qu'ils se transforment de la sorte, ses yeux, sinon ils sont plutôt éteints. Fuentes m'a mise en garde: «Surtout, tu t'assures de ne pas la laisser s'échapper lorsque tu ouvres la porte du taxi.» De fait, dès que la voiture ralentit, la truie a le nez sur la vitre. Elle glousse. Toute cette verdure immaculée l'appelle, il n'y a pas à en douter.

Les parents des jumelles ne sont jamais là. Tous deux avocats. Séparés et vivant dans une ville voisine depuis quatre ans.

— Y a que vous seules dans cette baraque de rêve?

Le papa et la maman ont choisi de conserver la maison familiale et d'y laisser vivre leurs filles comme si... comme si ils y étaient toujours. «Dans le but de maintenir l'équilibre émotionnel de Charlotte et de Joëlle.» C'est stipulé comme tel dans l'acte de divorce. Le père s'est engagé à y passer une semaine sur deux et la mère à faire de même les semaines consécutives. Dans les faits, ils n'y sont jamais, retenus qu'ils sont dans les différentes régions où ils plaident.

— On communique par MSN, c'est plus pratique, dit Charlotte en me resservant un vin hors de prix provenant de la réserve du papa, pendant que le petit se gave à son tour de truffes et de foie gras rapportés de France par la maman.

Cuisiner, les jumelles ne savent pas, leurs parents ne leur ayant jamais appris, ne sachant pas eux non plus... Elles ont recours pour se nourrir aux services de livraison des restaurants populaires. Elles bouffent du « rapide » à outrance. Contrairement à moi, elles ne prennent pas une once. C'est à n'y rien comprendre... jusqu'à ce que je tombe sur la photo des parents au-dessus de la cheminée du salon. Deux grands maigres, l'air inquiet.

Je fais exclusivement appel à la même voiture-taxi pour me rendre à la résidence des jumelles. C'est Fuentes qui le veut ainsi. C'est Fuentes qui paie la course. Le chauffeur, un de ses amis, possède la plus sale tête de toute l'industrie du taxi. Fuentes dit : « Plus ils sont moches, plus on peut leur faire confiance. » Je ne sais pas de qui il tient pareille affirmation, mais je dois admettre que ce chauffeur-ci est d'une fiabilité peu commune. Avec la tête qui va avec. Jamais il ne me questionne au sujet de la destination. Il sait. Je ne l'ai encore jamais entendu rager contre d'autres automobilistes ou une circulation trop lente. Il ne parle pour ainsi dire jamais et ne porte aucune attention au petit alors qu'il piétine la banquette arrière. Certains parlent de flegme. Moi, je dirais une authentique tête de vache. Parfois, lorsque nous sommes à attendre le retour des jumelles, il approche son visage du rétroviseur et se masse un furoncle jusqu'à le faire éclater. Personnellement, si ce n'était les considérations de Fuentes, je préférerais quelqu'un d'un peu moins fiable mais d'un peu plus convenable.

Une fois les jumelles à bord, nous nous rendons là où elles sont attendues. Soit une résidence privée, soit un hôtel, dans les deux cas à l'intérieur du périmètre «ici, tu peux!» Nos déplacements ont lieu entre 22 heures et 4 heures du matin, bien qu'à l'occasion, des urgences puissent survenir en plein jour. À l'heure du lunch, par exemple. Il n'est pas rare d'avoir à sauter ce repas pour aller faire un client. Faut qu'elles se tiennent prêtes, les jumelles. Ponctualité et discrétion sont les mamelles de ce boulot si l'on peut dire. Faut les voir se débarrasser de leurs accoutrements de collégiennes et se maquiller à l'arrière de la voiture-taxi. Je les aide du mieux que je peux. Le petit fait le contraire. Et au retour, eh bien c'est le même film mais qui défile à l'envers, et cette fois, elles se brossent les dents.

Je préfère la nuit. C'est moins pressé. Et puis quand tout ça est terminé, nous allons manger. Et ça, ça me rend vraiment heureuse parce que j'ai alors le sentiment d'inviter mes deux sœurs au resto. Voilà. Même si c'est avec l'argent de Fuentes. Je les raccompagne ensuite chez elles. Elles sont crevées. J'attends dans la voiture qu'elles franchissent l'étendue de verdure et qu'elles atteignent la porte du domaine. Certains matins, la distance paraît plus grande tellement elles peinent à se tenir debout. Elles ont l'air de deux biches égarées sur un terrain de golf. Une fois la serrure désarmée, elles se retourent en direction de la voiture-taxi, font un signe de la main à mon intention et disparaissent l'une après l'autre derrière la porte du château.

Sur le chemin du retour je ne pense à rien. À rien et à celui qui, une heure plus tôt, les recevait toutes les deux. Un homme de l'âge de mon père... Il vient tout juste de garnir généreusement leurs sacs à main afin de les avoir ensemble, la blonde et la noire... Le jour suivant, le même homme se vantera de son exploit auprès de ses confrères de travail. On l'écoutera, on l'enviera, et on le pressera de dévoiler les coordonnées des jumelles. Les plus téméraires se laisseront tenter les premiers. Les autres suivront. Ils iront, puis reviendront. Ils évoqueront la chose entre eux à l'heure du lunch. Quelqu'un dira: «Doublez le plaisir», comme dans «doublez la mise», et ça les fera rire tous autant qu'ils sont...

Ces hommes auront tôt fait de remettre aux jumelles la plus large part du budget des vacances familiales, et bientôt ils échafauderont ensemble les explications à fournir à leurs femmes et leurs enfants quant au report du séjour à la mer.

Dans la tête de Rose

Faudrait quand même que je me prépare quelque chose à lui dire. Quelque chose de cohérent. C'est pas tous les jours qu'on fait connaissance avec sa mère... Malgré l'engouement, je me fais du mauvais sang. Les paroles de Cindy me reviennent. « L'attente vaut mieux que les retrouvailles... »

Scénario numéro 1

J'irai vers elle. Hésitante, elle regardera dans ma direction une première fois, puis une seconde. J'ai tant de fois imaginé ces gestes-là. Replacer ses cheveux. Ouvrir ses bras. Mouiller ses yeux... Plus je m'avancerai vers elle et plus notre ressemblance se révélera.

J'agiterai la main, comme ça, en risquant un timide : « Ça va ? » Il n'y aura aucune réaction de sa part. J'en conclurai qu'elle est déçue de moi. Déçue de mon apparence. Je continuerai néanmoins de marcher vers elle en m'efforçant de sourire malgré le doute. Une expression de mépris se formera alors sur son visage. Je tenterai d'apaiser mon malaise en me répétant que certaines personnes affichent une expression semblable tout en étant sensibles et intelligentes. Je voudrai croire qu'elle est sensible et intelligente.

Je dirai : « Il fait chaud, ici ! », inspirée par la rigole qui coule entre mes seins.

Elle tirera une cigarette du paquet qu'elle garde sous la main. Une cigarette sans nom, le truc roulé à la main... Je chercherai une piste de discussion, un sujet banal pour débuter. Devant le vide, je dirai : « La truie va bien », et puis encore : « Papa va bien aussi », en regrettant mes paroles aussitôt mes lèvres refermées sur la dernière syllabe. Je remarquerai qu'il y a un frigo. Je regarderai dans sa direction.

Elle demandera : « Tu veux boire quelque chose peut-être ? »

Je répondrai : « Vous avez du Pepsi ? » sans me douter que je provoquerai l'avalanche.

Elle dira : « Ne me dis pas "vous", je t'en supplie... pas "vous". Pas de "vous" ! »

Je répondrai : « Je m'excuse. Je te demandais simplement si tu avais du Pe... »

Elle dira : « Non, non, et pourquoi, hein ? Pourquoi je garderais du Pepsi ? Au cas où ma fille débarque un jour et me demande si j'ai du Pepsi? Pourquoi donc? Y a pas autre chose encore que tu veux et que je n'ai pas? Tu voudrais pas quelques souvenirs aussi, de ceux que l'on croit précieux et qui, pour finir, ne sont qu'embarras? Des souvenirs dans un petit bol, pour emporter? De l'amour, peut-être... Tu veux de l'amour? Puisque tu y es, regarde un peu dans le frigo s'il en reste, des fois, de l'amour. Quelqu'un a dû en laisser une part, entre le Pepsi et le beurre. Ha! ha! ha! De l'amour à emporter, des souvenirs aussi, avec du Pepsi, oui!»

Elle se mettra à rire comme une possédée, et moi à pleurer comme une pécheresse.

Je lui répondrai enfin: «Pourquoi m'avoir abandonnée? Pourquoi t'es-tu cachée durant tout ce temps, hein? Réponds, tête de misère! T'en as cassé combien d'autres pareilles à moi? Mes frères! Mes sœurs! Combien sont-ils? Combien sommes-nous à accumuler les kilos plutôt que le bonheur? Tu permets que je te tutoie? Ça te dirait, des fois, de faire un peu plus d'efforts et de te montrer un peu moins piteuse? D'être charitable envers les autres plutôt que de leur nuire? Bousilleuse d'existence!»

Scénario numéro 2

Je dirai: «Je suis vraiment heureuse de te retrouver.»

Elle répondra: «Et moi, donc...»

Puis de la fumée quittera sa bouche et ses narines, comme une suite, tout en douceur... Immédiatement, ce sera le coup de foudre entre elle et moi. Tout à fait le coup de foudre, et rien d'autre. Malgré mon apparence. Malgré sa voix rauque. La rigole entre mes seins. Les cigarettes de mauvaise qualité...

Et avant même qu'elle n'ouvre la bouche, avant toute tentative d'explication, d'excuse, d'aveu, je lui dirai de ne pas s'en faire et de se reposer. Je lui dirai que les blessures de la vie se guérissent d'elles-mêmes pourvu qu'on leur alloue le temps nécessaire pour ce faire... Et que tenter d'accélérer la guérison ne fait que la retarder. Et tout un tas de paroles apaisantes que dicte la bonté en pareilles circonstances. Mais, aussi, je lui dirai que je l'aime...

Combines

Au petit, il a acheté des mitaines. Des moufles, comme disent les Français. Quatre moufles cent pour cent laine, avec le ruban pour faire la boucle sur le haut du sabot. Ça lui donne une sacrée allure, au petit. Les autres, les amis de Fuentes, ça les fait hurler de rire, surtout lorsqu'ils ont fumé un joint. « Ouahh, une truie en pantoufles ! » Après avoir rigolé un bon coup, vient le moment de discuter de leurs combines. Et de chercher à savoir pourquoi elles foirent, leurs combines. Soudain, ils ne rigolent plus. Ils se tournent vers Fuentes et attendent... Fuentes joue les chefs. Il parle. Un soir, en manque d'inspiration, Fuentes me demande :

— Et toi, t'en penses quoi ?

Ça me surprend. Les autres aussi. Ça me fait un velours encore qu'il demande à m'entendre sur des trucs qui ne sont pas des trucs à moi. Je m'essaie :

— Surtout, il ne faut rien brusquer. C'est comme... c'est comme pour les vaches. Suffit de placer la chaudière sous le pis, de traire lentement et de se montrer patient.

Et là, la gueule leur tombe à tous. À tous, sauf à Fuentes qui jamais ne laisse tomber sa gueule, et peu importe devant qui il l'ouvre. Ils se mettent à maugréer :

— C'est quoi, ça ? Elle débarque ici en compagnie d'une truie à chaussettes et elle nous parle de pis. Et qu'est-ce qu'on y connaît, nous, aux histoires de pis ?

Il est vrai que pour la majorité d'entre eux, le lait provient du dépanneur. Les étapes qui précèdent la mise en tablette au frigo – vache, traite, pasteurisation – ne les interpellent pas outre mesure. La patience non plus. Pour tout dire, les amis de Fuentes se balancent d'à peu près tout ce qui ne touche pas de près leur business. J'avais donné mon opinion. J'en étais fière. Fuentes semblait satisfait à son tour, même s'il riait comme un damné.

Ils ne sont pas pour autant dépourvus d'intelligence, les amis de Fuentes. Même s'ils ont du mal à se figurer d'où vient le lait, ils n'ont pas que des défauts. Par exemple, aucun d'eux ne se montre cruel envers les animaux. Faut voir, lorsque le petit dort contre la cuvette des toilettes, les acrobaties qu'ils s'imposent pour parvenir à pisser sans le bousculer. Un jour, le petit leur a bouffé une pièce du jeu de dominos. Je m'attendais à ce qu'ils le grondent, et tout et tout... Eh bien, rien, pas un mot. Le lendemain, ils étaient tous ici de nouveau, quelqu'un avait apporté un jeu tout neuf. Une autre fois encore, ils se sont précipités sur le petit pour l'empêcher d'engloutir mon tube de crème amaigrissante. Trop tard, il l'avait bouffé. Ils l'ont soulevé, comme ça, tous ensemble, ils l'ont tenu la tête en bas en criant : « Crache, crache ! » Les jours suivants, Fuentes arpentait la cour une truelle à la main, disséquant tout ce qui lui paraissait louche. Sans cesse, il demandait : « Tu trouves pas qu'il maigrit, le petit ? »

Autant il peut avoir l'air idiot lorsqu'il pose des questions qui n'ont ni queue ni tête, autant il m'étonne lorsqu'il fait état de ses connaissances sur le crime. Il en sait des choses, à propos du crime. Comme quand il donne à des amis ses recommandations sur la façon de se débarrasser d'une escouade policière qui s'insinue dans leur logis, prétextant une plainte de la part d'un voisin... Il dit : « Tu ordonnes aux flics de sortir, sinon tu leur dis que tu appelles les flics. » Voilà, c'est aussi simple que cela, suffisait d'y penser. Des policiers vous importunent sans mandat, vous appelez la police !

Peu après l'épisode du tube de crème amaigrissante, Fuentes m'interdit de me procurer à nouveau ce genre de truc. « Ces produits-là peuvent tuer. » Il veut dire si on les mange, bien sûr. C'est au petit qu'il pense, parce que moi il me préfère obèse, même que morbide, ça ne lui déplairait pas. C'est business, bien sûr. Sans cesse il le réclame quand il est derrière la caméra. « Plus grosse, Rozé. Plus grosse encore ! » Fuentes prétend qu'un nombre inimaginable d'hommes et de femmes fantasment devant un corps comme le mien...

— T'es sûr de ça ?

— Sûr à mille pour cent !

Il en sait des choses, Fuentes. Je me demande de qui il tient tout ça. En fait, Fuentes a appris des choses que les autres garçons de son âge ignorent pour la plupart. Fuentes a appris à charmer, mais à charmer dans un but autre que la séduction qui mène à l'amour. Charmer pour mieux voler, pour intimider, charmer pour écouler sa marchandise. Fuentes prie, j'en suis presque certaine, il prie pour que le charme opère encore plusieurs années. Il prie pour la prospérité...

***

Bréviaire du petit hors-la-loi

Exerce une activité illégale qui génère plusieurs milliers de dollars annuellement : vente de stupéfiants, prostitution, recel et quelques autres délits mineurs. Accumule le pactole et le cache, bien.

Au bout de trois années : première arrestation. Dossier criminel. Première offense. Remise en liberté immédiate. Accumule le pactole et le cache, bien.

Vingt-quatre à quarante-huit mois plus tard : deuxième arrestation. Peine minimum. Emprisonnement le week-end et selon l'achalandage des centres de détention. Profite des conseils d'autres détenus de façon à accroître son chiffre d'affaires. Accumule le pactole et le cache, bien.

Deux années encore : troisième arrestation. Récidive. Peine plus sévère. Emprisonnement de six mois, mais en réalité écourté du tiers pour bonne conduite et autres circonstances atténuantes. Six mois à purger toutes dépenses payées, provision de conseils légaux par l'entremise des voisins de cellule et de leurs avocats. Accumule le pactole et le cache, bien.

Enfin dehors : embauche la jeune relève de manière à ce qu'elle assume les risques. Retarde au maximum la prochaine période d'emprisonnement, et lorsque celle-ci devient inévitable, accepte sans broncher. Durant ces douze à dix-huit mois d'incarcération, s'assure depuis l'intérieur de la bonne marche des activités à l'extérieur. Accumule le pactole et le cache, bien.

Nouvelle remise en liberté. Après dix années d'activité, récupère le pactole, net d'impôts. Trouve un job peinard, à mi-temps. Prend sa retraite.

***

Puis, un matin, il m'annonce qu'il doit s'absenter pour les vingt-quatre prochaines heures. « Pour prendre soin d'un frère... », se sent-il obligé d'ajouter. Puis, encore ceci : « Vaut mieux que tu ne bouges pas d'ici, et surtout ne laisse pas le petit seul à l'extérieur. À demain. » Puis, il nous quitte. Une fraction de seconde plus tard, j'entends le bruit de ses pas sur les marches, la bagnole qui démarre. Vacarme du silencieux percé, voiture qui s'éloigne. Et puis, plus rien...

Sans attendre une seconde de plus, je saisis ma veste, veille à ce que le petit ne manque de rien, et je sors à mon tour. Je marche sans connaître ma destination. J'arpente une à une les rues de notre quartier à mesure que celles-ci se présentent. Tout droit, à gauche, à droite... J'avance, les mains dans les poches, le capuchon sur la tête, à l'image de tous ceux que je croise, ceux qui n'ont pas encore trente ans. Et aussi des femmes, des hommes et des enfants. Y a longtemps que j'en avais pas vu en si grand nombre, cela remonte à ma dernière fugue. C'était dans une autre ville... Toutes les villes se ressemblent, que l'on soit fugueur ou pas. Les mendiants ne sont jamais bien loin des guichets automatiques, les restos regorgent de gens souriants à l'heure du lunch, et à chaque intersection, une marée humaine se rue jusqu'au trottoir d'en face. À croire que le bonheur s'y trouve et les y attend.

Avec la monnaie trouvée sur la table, entre les cendriers, là où Fuentes vide ses poches au moment d'entrer chez lui, je m'offre un Pepsi. À l'intérieur d'un abribus où ça sent l'urine, je jette un coup d'œil à la une d'un journal qu'on a laissé sur le banc. Les grands titres sautent aux yeux, me décourageant d'ouvrir le quotidien pour en connaître le détail. Meurtre, escroquerie, tragédie..: Mon esprit vagabonde, mon corps prend un peu de repos. Je réfléchis à ce que dirait Fuentes s'il m'apercevait là, assise dans cet abribus qui sent l'urine... C'est la première fois que je désobéis à Fuentes, je fais le pari qu'il ne me gronderait même pas. Et puis, s'il craint pour moi, il craint davantage pour le fric qu'il planque à la maison, c'est l'évidence. «Vaut mieux que tu ne bouges pas d'ici.» Et je reprends la route, sous mon capuchon, sous la pluie froide.

Il me reste encore... combien? Dix dollars et quatre-vingt-deux cents. Je choisis d'entrer dans un cinéma. On y présente un documentaire traitant du copinage entre propriétaires de grands journaux et instances gouverne-mentales. Après cinq minutes, je comprends que tous ces gens mangent à la même table de façon régulière. Après dix minutes, que l'information se trouve ainsi contrôlée par le politique. Une heure trente plus tard, mon deuil est fait quant à l'idée d'une information neutre et non par-tisane. C'est le type même de documentaire dont se ré-galent les amis de mon père. Doivent être en train d'en débattre, d'ailleurs... devant quelques bières.

Je marche sans autre but que de retarder mon en-trée au cimetière. Les piétons devant moi s'engouffrent à l'intérieur d'un centre commercial. Je décide sur un coup de tête de les suivre. Ils regardent, touchent, com-parent et n'achètent pas. Cela me convient tout à fait puisque je n'ai pratiquement plus d'argent sur moi. Et même s'il en était autrement, les boutiques spéciales «fortes tailles» ne se trouvent pas dans un endroit comme celui-ci. On est dans un centre *fashion*. Tout, ici, est *fashion*... Une personne obèse dans un accoutrement *fashion* est forcément ridicule.

Il est 18 heures passées lorsque je me décide à rentrer. Je reprends mon chemin non sans me perdre à quelques reprises. Dans le sens contraire, les repères cherchent continuellement à vous tromper, mieux vaut être alerte. Partout le même cirque, les gens qui s'entassent dans les bus, les entrées de stations de métro qui regorgent d'une faune affamée, fatiguée et qui n'en peut plus d'attendre. Je suis de ce nombre, et en plus je commence à m'en faire pour le petit resté seul au sous-sol. Serais-je donc une mauvaise mère à mon tour ?

Enfin la ruelle, enfin le triplex à l'abandon, enfin le cimetière... La bagnole n'y est pas, évidemment. Quand Fuentes dit vingt-quatre heures, c'est vingt-quatre heures. Un sac de sport grand format se trouve devant la porte. Question : il y était au moment où j'ai quitté l'appartement, ou pas ? Je ne m'en souviens plus. Moi et ma mémoire défaillante... Je m'en approche, pas question de le contourner en faisant comme s'il n'existait pas. Je l'observe sous tous les angles. C'est un sac de sport grande taille pouvant facilement contenir l'équipement complet d'un joueur de foot. Je me penche et je l'ouvre. Du papier journal, et encore du papier journal... Du sang, et encore du sang... Une oreille rose et poilue, celle d'un animal... Le nez d'un porc, une patte... Et enfin un morceau de fesse à laquelle appartient la patte de tout à l'heure. On a dépecé le petit ! Je plonge à nouveau mes mains dans le sac, mais cette fois tout au fond, comme s'il était encore temps de tenter quelque chose pour lui venir en aide...

Du sang et de la graisse animale, j'en ai jusqu'aux coudes, bientôt jusqu'aux épaules. Et bientôt mes vêtements en sont imbibés. Tout ça ajouté au papier journal faisandé, ça empeste! Le journal de ce matin avec ses gros titres. Meurtre, escroquerie, tragédie...

« Faut te ressaisir, Rose. Pense tricycle. Pense cerf-volant... » Malgré le poids, je parviens à soulever le sac et à l'emporter tout en bas de l'escalier, comme ça, sans réfléchir, sans autre raison que de ne pas laisser le petit dehors... Une fois les trois marches escamotées façon Fuentes, je fouille dans mes poches à la recherche de mes clefs. J'ai un mal fou à les saisir tellement mes doigts sont visqueux. La poignée de la porte me glisse des mains, j'arrive à la manipuler, mais avec beaucoup de difficulté. Elle n'est ensuite qu'un amas de rouge et d'horreur. Je m'en veux d'avoir quitté le sous-sol, je m'en veux d'avoir été si longtemps absente, et je m'en veux d'avoir désobéi. Si ce sac pouvait me contenir, j'y entrerais pour y rester à jamais.

J'entre... J'ouvre... Et il est là, sur ses quatre pattes! Bien vivant dans ses moufles cent pour cent laine, surexcité comme s'il jubilait de m'avoir joué ce sale tour. L'animal agit bêtement, comme si l'immense sac renfermait un petit quelque chose à grignoter pour lui. Je dis : « Brave bête, maman revient tout de suite... » Et je vais me vomir l'âme dans les chiottes. Après m'être lavée et avoir enfilé des vêtements propres et secs, je m'assieds sur une chaise de la cuisine où je reste sans bouger à compter les heures, comme le font les enfants atteints d'une vilaine grippe. J'expie mes péchés, jurant ne plus jamais recommencer. Cette nuit, je dormirai sur le plancher près du petit, à qui j'ai donné le bain et que j'ai parfumé. Les porcs raffolent des parfums.

L'abandon d'enfant devrait mener tout droit à l'emprisonnement!

La nuit

Jamais plus je ne vais au lit avant l'aube. Je regagne le sous-sol dès les premiers rayons du jour pour n'en ressortir qu'à la tombée de la nuit. Je vis à la manière du hanneton.

Depuis mon arrivée chez Fuentes, mes activités se résument à lui tenir compagnie, à me faire filmer sur son lit et à accompagner les jumelles. En échange de quoi il s'engage à me retrouver ma mère. C'est donnant-donnant, comme il dit. Il dit aussi de le laisser travailler sans l'importuner. Pas de : « Tu en es où ? » « Tu l'as aperçue récemment ? » « Elle ressemble à quoi ? » Je contrôle mes sentiments, je me retiens. Non seulement j'essaie de ne pas lui nuire mais je fais également tout ce qui est en mon pouvoir pour ne pas le blesser. Fuentes ne voit pas plus sa mère que je ne vois la mienne. Comment être certaine qu'il ne passe pas ses journées à y penser lui aussi? Paraît qu'un homme a une pensée pour sa mère chaque jour qui passe, et cela, jusqu'au moment de sa mort. Davantage, même, au moment de sa mort. Tous les hommes! Ça m'a été rapporté par Cindy. Ou Bloomfield? À moins que je ne l'aie lu sur le Web... Plus je fume et plus mes troubles de la mémoire s'accentuent. Je vais en oublier mon nom si ça continue. Fuentes vit tout le contraire. Lui, c'est quand il ne fume pas qu'il oublie.

Chaque nuit, côte à côte, pareils à deux patrouilleurs, nous parcourons les rues et les ruelles des secteurs «ici, tu peux», veillant à ce que tout ce qui s'y déroule soit conforme, c'est-à-dire similaire à ce qui se passait hier et avant-hier. Le changement n'est pas bien vu par ici. Mon rôle consiste à aviser Fuentes de la moindre variante. Une activité, un individu, un véhicule. Fuentes veut tout savoir. Je lui fais mon rapport sur-le-champ et en continu, tout en grignotant. Je commente et il conduit. Je ne laisse rien passer. À nous deux, nous formons une redoutable équipe.

— Celui-là, il n'y était pas hier.

— Lequel?

— Le Chinois.

— Je sais.

Tout va bien, alors. Il n'y a problème que lorsque Fuentes ne sait pas.

Nous longeons un terrain, une sorte de promontoire où sont alignés des bungalows. Seuls les numéros affichés au-dessus des portes permettent de les différencier, sinon, ils sont semblables les uns aux autres. Tristement semblables. Fuentes appelle ce secteur «la tranchée». Elle détermine la limite à ne pas franchir. «Ici, tu peux, là-bas, tu ne peux pas.» Aucune autre précision ne semble nécessaire. J'imagine la suite. J'imagine le pire, et le pire est bien souvent ce qu'on imagine, justement. En y regardant bien, j'ai effectivement l'impression d'apercevoir au loin les murs d'une frontière.

Nous poursuivons notre tournée à vitesse réduite, régulière. La voiture a le comportement du cheval qui reconnaît un parcours. Certains soirs, j'ai l'impression qu'elle pourrait faire le trajet privée de son chauffeur. Et puis, tout bascule... Quelqu'un vient de lancer un objet contre la vitre de ma portière. Fuentes s'énerve, s'élance en direction de mon sac, récupère le Beretta. Il le fourre dans son caleçon, accélère un peu, pas trop, ce n'est pas le moment de se faire contrôler. Je demande :

— Qui c'était ? Pourquoi ?

Pas de réponse. Fuentes serre les mâchoires et bifurque à droite, dans une rue dont j'ignorais l'existence jusqu'à maintenant. Nous roulons en ne nous arrêtant qu'aux passages qui l'exigent. De longues minutes s'écoulent avant que nous rejoignions de nouveau «la tranchée», et puis, enfin, le quartier «ici, tu peux». Je reconnais les édifices, les abribus et les immeubles vacants et leurs panneaux «*Libre, bail à céder*».

Fuentes gare la voiture dans l'aire de stationnement d'un mégadépanneur. La puissance des projecteurs est telle que l'on ne doit pas mieux y voir en plein jour. C'est peut-être ici une stratégie de Fuentes, être visible, plus que visible. Une nuée d'insectes s'agglutine autour des lampes, tout en hauteur. Les bestioles finissent leur course en s'écrasant contre les réflecteurs. Fuentes coupe le contact, jette un œil à la vitre fracassée puis à mon visage meurtri, et dit :

— Tu saignes...

J'examine ma blessure dans le rétroviseur intérieur. De fins éclats de verre se sont incrustés dans ma joue droite. J'éponge les gouttelettes de sang à l'aide de la manche de ma veste. Pour la seconde fois, je demande :

— Qui c'était ?

Pour la seconde fois je n'obtiens pas de réponse. Fuentes s'anime, quitte son siège et vient m'ouvrir depuis l'extérieur. Sa silhouette est trouble derrière la vitre éclatée dont une large partie tient toujours en place. Il m'aide à me tirer de là et referme la porte derrière moi, laissant le petit seul à l'intérieur. Je n'aime pas cela. Je le lui dis.

— J'ai peur de le retrouver dans un sac de sport.

— T'inquiète.

Fuentes prend ma main dans la sienne et marche d'un pas beaucoup plus rapide qu'à l'accoutumée. Il vise l'entrée principale du mégadépanneur. Sa main est froide, le contact me glace. J'ai peine à suivre. Je jette un dernier coup d'œil en direction de la voiture, puis nous

nous engouffrons à l'intérieur du bâtiment. C'est glacial, ici, les battements de mon cœur s'accélèrent, j'ai des sueurs, les sensations se mélangent, et pas nécessairement pour le mieux. Fuentes me relaie le panier à provisions, de ceux que l'on tient d'une seule main de façon à ce que l'autre soit libre pour le remplir. Je me sers dans les étalages de mon choix pendant que Fuentes consulte ses textos. Mon comportement est tout à fait celui d'une enfant en convalescence à qui l'on ne refuse rien. Fuentes le veut ainsi, j'en suis convaincue. Arrive le moment de passer à la caisse. J'ai un mal fou à soulever le panier tellement il est garni. Le caissier scanne chacun des articles puis les met dans un sac démesurément grand sur lequel le mot « biodégradable » ainsi qu'une adresse Web sont imprimés en couleurs fluo. Fuentes garde les mains dans les poches de son pantalon dont la taille se situe à hauteur de pubis. Je le soupçonne d'agripper d'un côté son portable et de l'autre le Beretta. Il libère le côté du portable et agrippe deux chapeaux dans le présentoir, sur sa droite. « *Chapeau estival toutes tailles. 1 $.* » Il les pose sur le comptoir et enfouit de nouveau la main dans sa poche. Avant de révéler le montant total des achats, le caissier nous propose un billet de loterie. « D'accord », répond Fuentes. Après vérification, le caissier annonce : « Non gagnant. » Il le dit sur le ton de celui qui s'en trouve sincèrement désolé, puis il me regarde et se désole davantage, comme si ceux qui saignent méritaient de gagner instantanément.

Nous sortons. Nous marchons jusqu'à la voiture. L'air est chaud et humide. Ma joue droite est brûlante.

Nous portons nos « chapeaux à 1 $ ». Soulagée de retrouver le petit, je dis à Fuentes :

— Et si quelqu'un avait piqué la voiture ?

— Qui voudrait d'une voiture en ruine avec une truie à l'intérieur ?

Aussitôt installée sur mon siège, j'ouvre et j'explore le sac à provisions. La truie se manifeste, elle veut passer à l'avant. J'arrive à la retenir là où elle est grâce aux Glosettes aux raisins que je lui refile à la pièce. Cela fonctionne à merveille. Pour ma part, j'opte pour les nachos de Doritos à saveur B.B.Q. extrapiquante. L'extra-piquant vient à bout de ma douleur à la joue. J'en fais part à Fuentes qui ne dit rien, fait la moue, et envoie toujours des textos. Je lui offre à peu près de tout, mais il n'accepte rien. Il me fait penser à un malade qui perd du poids et refuse toute nourriture. Il préfère fumer. Il fume et jette des regards inquiets à tout ce qui vit autour.

Il ne se décide pas à reprendre la route... Nous restons donc sur place, pareils à la petite famille qui se trouve un peu plus loin dans une voiture semblable à la nôtre. Ceux-là semblent être des nouveaux arrivants, venus célébrer leur vie nouvelle en bouffant des chips sur une aire de stationnement. Ils nous observent avec nos chapeaux. Bientôt, l'envie de nous souhaiter bonne chance les traversera. Fuentes allume une autre cigarette. Cette fois, il met le moteur en marche. Il engage ensuite la voiture en direction du boulevard, non sans pousser un grand soupir, puis un autre, une main dans le sous-vêtement, l'autre en appui sur la partie la plus haute du volant. Il pointe l'index devant lui, prêt à cracher son venin sur le premier qui viendra se mettre en travers de sa route.

— Ça va?

— Ça va!

Fuentes glisse maintenant la main le long des touches de l'autoradio. Une voix se fait entendre. Celle d'un animateur qui, curieusement, se tait plus souvent qu'il ne parle afin de laisser place à une musique aux accents jazzy. «Cool jazz.» C'est comme ça qu'il dit, l'homme de la radio, lorsqu'il parle. Sinon, il laisse jouer les notes de la première attaque jusqu'au dernier silence. De longues plages au cours desquelles saxophone, piano et batterie se partagent les solos. Si l'ordre semble établi durant certains passages, c'est l'anarchie qui prévaut à d'autres. Les instruments hurlent et font le bonheur des instrumentistes, croirait-on. C'est tout ce que je peux en dire, je ne connais rien à la musique cool jazz, pas plus qu'à ceux qui la jouent. Les noms des interprètes ne sont pas différents à mes oreilles de ceux pris au hasard dans l'annuaire téléphonique d'une ville américaine.

Mes mains s'enfoncent dans le sac «biodégradable». Sloche à saveur de paparmane. Glosettes aux arachides que je donne à la truie au lieu de celles aux raisins. Je n'ai jamais aimé les Glosettes aux arachides, en plus, elles constipent. *Jelly beans* multicolores et multisaveurs. Réglisses vertes. Bonbons Pez dans le distributeur plastique, celui avec une tête de ninja débile. Caramels, les Kraft bien sûr, sinon c'est pas la peine. Du

Pepsi, du Redbull, une gorgée en alternance et à répétition. D'aussi loin que je me souvienne, jamais je n'ai été malade en voiture...

Fuentes regarde droit devant, ses yeux sont grands ouverts comme jamais ils ne l'ont été depuis que j'ai fait sa connaissance. On dirait qu'il voit tout son avenir d'un seul coup, et qu'il est effroyable, son avenir. Je serais tentée de regarder droit devant à mon tour, tellement le spectacle annonce le frisson. C'est plus fort que nous, les humains, cette envie de voir l'horrible, il doit s'agir d'un gène quelconque. Les chercheurs trouveront bien un jour, sans doute, et à partir de là il n'y aura que des événements heureux à la une des journaux. Combien on parie ? Mais bon, c'est pas pour demain tout ça.

Le nez de la voiture se planque sous le balcon pourri. Après avoir coupé le contact et ouvert la portière, Fuentes fait exactement ce qu'il a l'habitude de faire : il se tourne vers l'arrière, soulève le petit puis l'amène au fond de la cour où se font entendre les « Allez... Allez... Allez ! » Mais cette fois, justement, rien ne vient. Et c'est à cause des Glosettes aux arachides. Fuentes prend son mal en patience, mais pas longtemps. J'entends : « On verra ça plus tard, alors », puis je le vois apparaître, le petit sous le bras, se dirigeant vers la porte d'entrée. Fuentes s'installe à la table comme s'il se trouvait au restaurant à attendre qu'on le serve. Il allume un joint qu'il s'empresse de fumer jusqu'au bout, c'est-à-dire jusqu'à ce qu'il lui brûle le bout des doigts. C'est la première fois qu'il fume en ma présence sans m'offrir de partager son plaisir. Il ne doit donc pas s'agir d'un plaisir dans ce cas-ci. Fuentes lisse ses cheveux de ses deux mains, se lève et se dirige vers sa chambre où il s'enferme sans autre forme de procès. Fin de l'épisode.

Ma joue recommence à me faire souffrir. Je nettoie la plaie à l'eau froide, à l'aide d'une serviette que je tords au-dessus du lavabo. J'ai soif. Après avoir mangé tous ces trucs, j'ai très soif. J'avale plusieurs gorgées, comme ça, direct au robinet. Le petit fait pareil et boit à même la cuvette...

Ailleurs…

Je me suis assoupie sur le divan du salon. Si on peut appeler cela un divan, si on peut appeler cela un salon. Pour une fois depuis longtemps, j'ai dormi profondément. À mon réveil, des reflets bleutés provenant de la chambre de Fuentes attirent mon attention. Je le devine rivé à l'écran de son ordinateur, à tenter de se divertir pour oublier ce qui s'est produit un peu plus tôt au cours de la nuit.

Les reflets, comme des éclairs avant l'orage, viennent et disparaissent. Hormis le son des touches du clavier qui s'enfoncent et se relâchent, tout n'est que silence. J'hésite entre me lever et tenter de me rendormir. Pour finir, je pose les pieds sur le linoléum déchiré, sale et froid, et je me hisse sur mes jambes. À partir de là, il ne me reste qu'à essayer de garder l'équilibre, essayer de me rendre jusqu'à la chambre, essayer de comprendre ce qui nous arrive. À petits pas, comme celle qui réapprend à marcher après un grave accident, je me rends vers le seuil de la porte où je fais un arrêt obligé. Je suis à bout de souffle lorsque, tournant la tête en direction de la source de lumière, je l'aperçois, les yeux rougis par la fatigue et refusant d'y remédier. Il se réserve pour lui tout seul l'intégral des images que lui renvoie l'écran. D'où je me trouve, je n'ai droit qu'aux reflets sur son visage et aux formes qu'ils dessinent. On dirait qu'on a appliqué sur les joues de Fuentes le maquillage du guerrier indien. L'effet est troublant, même si, pour l'heure, le guerrier semble inoffensif. La misérable souris en plastique qu'il enferme sous sa main est à l'évidence sa seule et unique prise.

— Je t'ai réveillée ? me demande-t-il d'une voix faible, une voix cassée qui traîne les mots, des mots plus longs qu'à l'habitude.

Je réponds :

— Non, je n'ai plus sommeil.

Et j'avance de quelques pas dans sa direction. Je m'arrête de nouveau et m'inquiète.

— Où est le petit ?

Fuentes répond :

— Il dort près des chiottes.

Alors moi :

— Quelqu'un nous a drogués ou quoi ?

Il sourit. Je bâille. Il bâille. Je souris. Ensuite, il dit :

— Il commence à être gros, le petit, faudrait penser à faire quelque chose.

Je ne souris plus.

— T'as une idée ?

Il répond :

— On pourrait le bouffer, suivi d'un rire moqueur.

— Comique, je dis. Avec les pizzas qu'il s'envoie, c'est un porcelet tout garni qu'on aura à bouffer !

Et il remet ça avec un rire moqueur, accompagné cette fois d'un sifflement léger que lui permettent ses dents absentes.

— Je disais ça pour rigoler, fais pas cette tête-là.

Je réplique :

— Tu la vois même pas, ma tête, t'as pas seulement levé les yeux vers moi depuis que je suis entrée dans cette pièce.

Alors lui :

— Ramène-toi un peu par ici, je vais te montrer, et il tire une chaise tout juste à ses côtés.

Cette fois, il pique ma curiosité... Je m'avance vers lui, à la fois ravie et apeurée. J'ignore ce qui m'attend. Le beau, l'horrible ou l'insolite ? Images de chiens ensanglantés en train de se livrer à un combat à mort ou répertoire de photos d'adolescentes à poil et encore plus obèses que moi? L'aventure m'appelle et je poursuis mon avancée, non sans jeter un coup d'œil hâtif par-dessus son épaule aussitôt qu'il m'est possible de le faire, histoire de me rassurer... Ça alors, je me serais attendue à tout sauf à cela! Des paysages. Que des paysages... Des oasis paradisiaques. On croirait visionner la publicité d'une agence de voyages. Je fais:

— Tu cherches une destination vacances?

Une main sous le menton, l'autre sur la souris, Fuentes fait défiler sous mes yeux les plus beaux en-droits du globe. Lagon turquoise entouré de cascades géantes, ciel dont les nuages sont des braises irradiantes au-dessus d'une mer de sable. Et d'autres scènes, tou-jours et encore plus planantes que les précédentes. Le truc à convaincre le plus casanier des hommes de partir illico pour une de ces destinations. N'importe laquelle! Je ne sais rien de ces endroits sinon qu'ils sont magni-fiques. Sur quels continents les trouve-t-on? Comment appelle-t-on les habitants qui y vivent? Je n'en ai pas la moindre idée. Je dis:

— Je n'ai jamais voyagé.

Au lieu de l'habituel baratin du guide touristique, Fuentes me livre des confidences à propos de chacun de ces endroits. Il les connaît tous. Il peut citer l'essence des arbres, le nom du fruit qu'ils produisent ainsi que la saison à laquelle il est préférable de le cueillir. Ou en-core m'expliquer de quoi sont confectionnés les vête-ments des hommes et des femmes d'un village... Il me parle, et j'entends la voix du garçon qui, forcé d'abandonner sa terre, ne fait plus que rêver du jour où il y retournera.

Il dit :

— C'est là...

Je demande :

— Là quoi ? Là où ?

Il répond :

— C'est là, chez nous.

Et moi :

— Là où vit ta famille ?

Et lui :

— Ma famille, c'est toi et les jumelles !

Je regarde à nouveau l'écran. Une maison à toiture de palmes entourée d'arbres fruitiers, des poules, et pas très loin derrière, un cours d'eau comme une rivière étroite sur lequel voguent des barques...

— Et puis ta mère aussi, si elle veut venir avec nous...

Je retiens ma dernière inspiration comme si, justement, elle était la dernière, qu'il n'allait plus y en avoir d'autres après celle-là. Fuentes me touche. Il touche mon cœur. Un peu plus et il l'arrache d'où il se trouve, l'embrasse, puis le remet à sa place en me disant qu'il m'aime.

Fuentes fabule. Sa vie n'est que ça, une totale fabulation qu'il nous presse de croire, sinon Fuentes n'existe pas...

— Tu parles... Super, vraiment.

Quatre mots, et encore, pas même dans une suite logique qui leur donnerait un sens, ni sur un ton convaincant. Rien de ça. Je cache mal ma déception, ma renonciation. Pendant ce temps, il allume une cigarette et s'empresse de me la tendre, comme pour conclure l'affaire. Je fume pendant qu'il délie les muscles de ses épaules en s'étirant les bras au-dessus de la tête. Il cherche à toucher le ciel. Il veut me faire comprendre que nous y sommes presque, au ciel, lui et moi, et puis ma mère aussi.

— Si elle veut venir avec nous...

Je ne dis pas : « C'est oui, je te suivrai... Nous te suivrons Hélène et moi, et les jumelles... » Je ne dis rien, et puis je ris comme ceux qui réalisent que la catastrophe est passée tout près en les épargnant de justesse. Je ris pour ne pas pleurer comme une gamine, et puis je tremble. Je tremble parce que le moment est venu d'annoncer : « Je ne te crois plus, Fuentes, va au diable, je rentre chez moi. » Alors qu'il s'attend à ce que je dise à propos de ma mère : « Tu vas l'aimer, tu verras... » Alors que je ne sais rien de cette femme. Il s'attend également à entendre : « Je ferai tout ce que tu voudras, Fuentes. » Et lui me répondrait sûrement : « Monte sur le lit alors, et sois énorme... »

Les paysages de tout à l'heure ont disparu de son écran, emportés ailleurs par la souris, dans les limbes cybernétiques. C'est ce qu'il y a d'incompréhensible avec le Web, pouvoir faire disparaître en une fraction de seconde un enfant, un village, un pays et sa planète, et voir ses milliards d'utilisateurs agir comme si tout ceci était banal. Et se faire bonne conscience en plaidant en faveur de la technologie.

— On est rendu là.

On est rendu là, effectivement, au lugubre, aux pièces sombres, les rideaux tirés, avec tous ces misérables qui s'apprêtent à me regarder dans ce que j'ai de plus misérable. Les caméras sont en marche. J'entends le bruit qu'elles font lorsqu'elles ont faim et qu'elles bouffent sans s'arrêter tout ce que l'homme leur donne à bouffer.

***

« *Grossier... Engrosser... Groenland... Grotesque... Brasser de grosses affaires... Gros tas... Grosso modo... Assez gros et pas très grand... Dégrossir... Grosse frousse...*

Gros-qui-sue... Grocery (oui, je sais c'est anglais)... *Gros nez...*

Grossir... Groseille... Gros porc (comme dans : espèce de)... *Gros problème... Trop gros pour... Pas assez gros pour...*

Gros intestin... Gros-bec... Gros et détail (si un jour je forme un duo comique avec Cindy, on l'appelle comme ça c'est sûr)...

En gros... Gros lot... Groin... Grossi mille fois... Grossiste... Le plus gros, s'il vous plaît... Grossier...

Gros-porteur...

Grossesse...»

«*Arrêtez!*» venait de dire la drôle de voix sans que ce soit drôle. À partir de cet instant, il était convenu de ne plus toucher le clavier de l'ordinateur. Puis, la voix à nouveau, cette fois pour certifier que l'épreuve s'était déroulée avec succès.

«*Félicitations!*»

Après l'achat en ligne de produits amaigrissants, les tests d'évaluation personnelle constituaient ma seconde faiblesse. Une tentation à laquelle j'étais incapable de résister. J'avais besoin de savoir. Nous avons tous besoin de savoir, malgré les mises en garde de nombreux philosophes qui prétendent que la vie ne serait qu'une suite de questions sans réponses. Cette fois, c'était de conseils personnalisés qu'il était question. «Pour une existence améliorée.» Ça ne se refuse pas, une existence améliorée...

Étape 1: «*Spontanément, inscrire l'adjectif qui vous définit le mieux.*»

Spontanément, j'avais tapé «G-R-O-S-S-E», et le mot «GROS» s'était inscrit. Deux choses: ou ce site était destiné aux hommes seulement, ou il s'inscrivait dans le généreux répertoire des sites dont on a confié la traduction à un logiciel sur le Web...

Étape 2 : «*Au signal, vous aurez soixante secondes pour écrire le plus grand nombre d'expressions connues de vous, dans lequel s'inscrit ce mot. Exemple : Timide. Grande timidité. Timidité maladive.*» Et puis, la mention suivante : «*Surtout, ne réfléchissez pas trop.*»

J'étais prête. J'attendais le signal du départ. Sans trop réfléchir. Une minute pile-poil, le travail était fait. Le logiciel spécialisé avait ensuite besoin de quelques secondes pour comptabiliser les données et rendre les résultats... Dix recommandations : «*Faites de l'exercice.*» «*Mangez davantage de fruits...*» Je n'ai jamais lu les huit autres recommandations, et ce, en dépit du fait que mon compte bancaire venait d'être débité. Le concept tenait davantage du biscuit chinois version virtuelle que du concept révolutionnaire annoncé en page d'accueil. Une attrape. Une de plus... Au moins, avec les biscuits chinois, y a quelque chose à grignoter, alors que là, il n'y avait que des généralités, dix recommandations destinées à tous mais utiles à personne.

Rien n'est moins indispensable à l'homme que de connaître son avenir, mais il donnerait tout ce qu'il possède pour qu'on l'en informe. Moi, c'est depuis toujours que j'essaie de savoir. Si bien que je devance les événements afin de me donner l'illusion d'en contrôler l'issue. J'essaie de tout prévoir. Je ne fais que ça. Il suffit qu'on me dise : «Surtout, n'y pense pas trop», pour que je ne pense qu'à ça et à rien d'autre. J'anticipe. J'anticipe au point où jamais je n'ai été capable d'une bonne nuit de sommeil la veille d'un départ annoncé. La destination? J'y suis déjà alors que l'embarquement n'a pas encore eu lieu. C'est l'histoire de ma vie. J'ouvre un livre pour la première fois et je jette un coup d'œil à la dernière page, histoire de prendre le pouls de ce qui m'attend. Je monte dans le bus et aussitôt j'en visualise la descente, le lieu, le décor, le temps qu'il fera. Je vise le dessert alors que je viens d'entamer le potage... Le jour de ma naissance, je devais être à planifier mes funérailles.

***

— Plus grosse, Rozé...

Qui sont-ils donc, ceux-là? Qui sont-ils ceux qui flambent leurs économies pour reluquer une fille obèse, nue sur un lit, et qui se contorsionne pour paraître encore plus grosse?

— Plus grosse, Rozé...

Des hommes, des femmes de tous âges, de toutes provenances et de toutes professions... Des gens qui, une fois connectés sur le Web, s'empressent d'inscrire leur numéro de carte de crédit, ignorant qu'à la toute fin des opérations de cryptage informatique, celui qui encaisse s'appelle Fuentes... Ils l'ignorent et ils s'en moquent, car s'ils l'apprenaient, cela ne changerait rien. Rien à ce qu'ils sont, rien à ce qu'ils font. Un fonctionnaire à l'heure de la pause. Un pompier en veille d'incendie. Un prêtre après la confession. Les membres d'un réseau informatique en train de se faire piéger par des enquêteurs. Des enquêteurs sur le point de piéger les membres d'un réseau informatique. Quelqu'un de bien en passe de ne plus l'être. Un curieux qui vient là pour la toute première fois. Un père Noël en attente de la saison des fêtes. Un dingue en extase. Une victime d'agression sexuelle cherchant à exorciser son drame. Un enseignant en détresse. Quelqu'un d'aussi gros que moi. Quelqu'un de chétif. Un agent immobilier ayant sa photo sur des pancartes. Un papa égaré. Une maman perdue. C'est à eux tous que je pense lorsque la voix de Fuentes se fait de plus en plus insistante.

— Plus grosse, Rozé, plus grosse encore...

Je me fais énorme et me répands... Je coule jusqu'à eux, chacun de ceux-là, depuis les touches de leur clavier. Un mince filet d'huile qu'ils goûtent d'abord, afin d'être bien certains de vouloir continuer. Ils portent l'index à la bouche, se rassurent, et bien vite cette huile se transforme en boue... Et cette boue continue de se déverser sans qu'ils n'y voient un réel danger. Et enfin, le flot de vase arrive comme une marée impossible à arrêter. Et le pavé de leur ordinateur en est submergé. Et ils s'en prennent partout, des pieds à la tête, par tous les orifices. Ils aiment, la raison les quitte momentanément, le temps de se gaver de mes graisses, de mes lipides. Et encore, les voilà qui déploient ce qu'il faut d'efforts pour en ingurgiter davantage que ce qu'il serait humainement possible d'ingurgiter puisque, justement, l'humain n'y est plus... Jusqu'à en être malades, malades de moi. Et puis ils continuent et sont malades à nouveau. Sans pouvoir se guérir. Ils n'y arrivent pas, et j'en suis malade à mon tour...

Fuentes est fou de joie. Il m'encourage de plus belle.

— Encore... C'est ça, plus grosse encore...

Fuentes en tire des images dégradantes, exclusives, des images que l'on va bientôt s'arracher partout sur la planète. Ce n'est qu'une question de minutes avant qu'un public fébrile accède à ces scènes et les partage avec des milliers d'autres fanatiques surexcités. « Regarde un peu sur quoi je viens de tomber... » Chacun de ceux-là, fier de sa découverte, s'empressera de faire connaître son appréciation : « J'aime... »

Fuentes vient de dire : « Coupez », et tout juste après : « Ça va cartonner ! » Il bondit sur place comme un gosse qui se voit offrir sa toute première bicyclette, alors que je m'effondre, le corps sur le lit, la tête à la renverse à quelques centimètres du sol. J'y suis, au plus bas de moi-même. Incapable seulement de me figurer dans quelle position sont mes bras et mes jambes. Je dois être aussi attirante qu'une noyée échouée sur un rivage. C'est le grand trou noir. Seuls les bruits du pianotage sur le clavier me relient à la réalité... Ça, et l'insoutenable odeur de vomissure. Je dis :

— Cette fois, je parie que tu as filmé le visage...

Il répond :

— Oui, pour l'effet. Avec les larmes, et tout... Tu veux voir ?

Je ne veux pas voir, non, ni maintenant ni plus tard, jamais. Je ne veux pas. Ce que je veux, c'est que l'on s'occupe de moi. Je voudrais qu'on me lave, et qu'ensuite on m'enveloppe dans une longue serviette épaisse. Qu'on me poudre de la tête aux pieds aussi. Je... Je voudrais qu'on me mette au lit, qu'on me borde, et enfin je voudrais qu'on m'embrasse.

Je lâche, comme ça du bout des lèvres, le son qui d'ordinaire fait se ramener le petit au pas de course. Mais cette fois il ne vient pas. Cette fois, c'est de la répulsion qu'il éprouve envers moi. Il préfère rester là où il est, blotti contre la cuvette des toilettes...

Les ennuis

Fuentes fait face à une montagne d'embêtements. Voilà ce que je crois. Ce n'est pas parce qu'il se refuse à en parler qu'ils n'existent pas, ces embêtements. Plein de gens préfèrent taire ce qui les tracasse.

Fuentes fait collection d'ennemis. Dans son milieu, le nombre d'adversaires tend à surpasser celui des confrères, c'est la tendance. L'Arabe, tiens, celui qui se fait appeler Beyrouth, moi je dis qu'il cherche à éliminer Fuentes. Ce qui me fait penser une chose pareille ? Des indices, comme la fréquence des rencontres entre Fuentes et ses petits lieutenants ces derniers temps. J'ignore de quoi il retourne, bien sûr, puisqu'il suffit que je sois dans les parages pour qu'ils baissent le ton ou communiquent entre eux par gestes. Mais leur attitude en dit long. Une attitude belliqueuse. Ils s'amènent ici, fument des joints et courent s'enfermer dans les chiottes dès que leur portable se met à vibrer. La fois passée, en flattant la truie pour la rassurer, j'ai perçu les bribes d'une conversation : « T'as qu'à lui dire, à l'Arabe, qu'il vienne nous faire une petite visite ici, au cimetière. On lui réserve sa place... T'auras qu'à venir lui porter des fleurs après, si ça te chante... »

Dès que je lui fais part de mes inquiétudes, Fuentes répond que tout ceci n'existe que dans ma petite tête... « Tu es victime de la paranoïa du fumeur d'herbe. » Peut-être bien... Mais alors, comment expliquer que Fuentes ne s'accorde que quelques minutes de repos, sinon qu'il redoute d'être agressé durant son sommeil ? Et pourquoi insiste-t-il pour que je reste en poste devant la porte de la salle de bains le temps qu'il passe sous la douche ? Et cet objet qu'on a lancé contre la vitre de sa voiture, même si c'était du côté passager ? Et sa bagnole, toujours plus cisaillée que la veille ?...

— Y avait pas ça, hier !

— Ça quoi ?

— Ben regarde les rayures, elles partent de l'aile avant jusqu'aux feux arrière.

— Qu'est-ce tu crois, Rozé ? Cette voiture n'est que ça, un tas de rayures sur roues.

Il m'arrive également de croire que son père et sa mère sont venus le perdre par ici pour s'en retourner à Quito, les jambes à leur cou. Comment des parents peuvent-ils faire une chose semblable ? Les étrangers ont des coutumes différentes des nôtres, bien sûr... Un jour, je lui en ai fait part, et sa réplique n'a pas tardé : « Et ta mère, Rozé, elle est étrangère peut-être ? » Je l'incite à penser différemment, à être positif, mais rien n'y fait. Il y avait ce bouquin que je relisais sans cesse lorsque j'étais enfant. Les héros formaient un couple. Un papa policier et une maman médecin. Tous deux passaient leur vie à faire le bien autour d'eux. Lui emprisonnait les méchants pendant qu'elle soignait les malades, et le monde s'en portait mieux. Page après page les parents souriaient, les enfants jouaient, tous étaient en pleine santé. J'admirais le courage de cette maman, de ce papa, et chaque soir je me glissais sous les draps en faisant le souhait de m'éveiller chez eux.

— Tu veux savoir, Fuentes ?

— …

— Tu veux que je te dise comment je les voyais les parents idéaux lorsque j'étais enfant ?

— …

— Le papa était policier, la maman médecin, et tous les deux faisaient le bien...

— Ben tu étais dans l'erreur. Un policier utilise son arme pour abattre des innocents, et les médecins... les médecins perdent leurs patients plus souvent qu'ils ne les sauvent.

Il vient de dire ceci sans seulement m'avoir regardée. Il est assis à la table de la cuisine depuis un certain temps déjà, les mains enfouies dans un sac-poubelle contenant de l'herbe. Fuentes roule des joints sans s'arrêter. Je ne sais pas à combien il est rendu, mais ça fait beaucoup. Ses gestes sont lents, il s'applique comme s'il bossait à l'usine sous l'œil du contremaître. Le coup de langue sur le papier se passe invariablement de la droite vers la gauche. De temps à autre, il prend une gorgée de bière pour s'hydrater et plonge à nouveau les mains dans les entrailles du sac. Les spécimens sont alignés en rangs serrés sur la table, immaculée pour l'occasion. Fuentes n'a plus le moral, soit, mais il conserve la méthode. Ces derniers temps, il fait penser au somnambule qui se faufile entre les lames dressées pour lui couper la tête. Les somnambules s'en tirent tant qu'on ne les réveille pas, semble-t-il.

Il a des ennuis, cela se sent. Ni ma compagnie ni mes interventions n'arrivent à le sortir de tout ça. Ses préoccupations le rattrapent. La confiance qu'il affichait au début de notre relation a cédé sa place à l'inquiétude. Il n'y a pas si longtemps, Fuentes était de ceux qui, privés d'essuie-glaces, roulent à fond la caisse sous un crachin de la mort. Aujourd'hui, il hésite à s'engager sur une bretelle d'autoroute, il freine par à-coups. Celui qui prétendait être le meilleur croise meilleur que lui. Et pour ajouter à l'humiliation, ses petits lieutenants lui font défection les uns après les autres pour joindre les rangs des clans adverses, celui de Beyrouth entre autres.

Une nouvelle règle vient de s'écrire entre les gangs et il lui faut s'y plier. La mixité des genres. De plus en plus de Blancs se retrouvent du côté des Haïtiens, et il n'est plus insensé d'entendre parler russe chez les Asiatiques... Pendant ce temps, Fuentes ne reçoit aucune invitation à se joindre à l'un ou l'autre des clans. Se retrouver fin seul au centre d'une jungle animale constitue un risque. Se retrouver seul au centre de cette jungle-ci annonce une fin assurée...

Beretta, c'est un joli nom...

Le Beretta est un pistolet italien qui peut tirer quinze coups... C'est tout ce que j'en sais. Il m'arrive régulièrement de tomber sur celui de Fuentes alors que je cherche autre chose. Tantôt il se cache au fond d'une boîte de céréales, alors que le jour suivant c'est dans le panier à linge sale qu'il se laisse surprendre. C'est devenu un jeu de le découvrir ici et là, le Beretta. Je me dis qu'un beau matin, Fuentes finira par ne plus se rappeler où il l'a foutu.

Celui-ci est entièrement noir, à part la partie qu'on appelle la crosse et que Fuentes a entourée de ruban adhésif de différentes couleurs. Ça lui fait un peu comme un vêtement, au Beretta, ça le rend plus sympathique. La fois passée, une broche fixée à la crosse retenait en place le canon qui cherchait à se désengager... Toute de bric-à-brac que soit cette réparation, je me dis qu'elle doit être efficace, sinon Fuentes aurait fait autrement. C'est pareil pour sa voiture, qu'il répare avec du ruban adhésif. Elle menace de nous laisser tomber de jour en jour, mais elle tient bon et continue à nous emmener là où nous le désirons. Fuentes a un don pour le bricolage bon marché.

Les armes m'effraient depuis toujours. Mon père n'en possède aucune. Jamais avant aujourd'hui un tel objet n'avait fait partie de mon environnement. Vivre avec une arme chez soi c'est inviter la tragédie à partager son quotidien. Ça fait sourire Fuentes d'entendre pareilles jérémiades. Pour lui, une arme n'est rien d'autre qu'un outil de travail...

— T'as déjà tiré sur quelqu'un ? je demande.

Fuentes rigole.

— Est-ce que j'ai la gueule d'un assassin ? répond-il.

Et il passe l'arme d'une main à l'autre comme s'il s'agissait d'un simple fruit qu'il s'apprête croquer.

— Beretta... c'est un joli nom, tu trouves pas, Rozé ?

Départ...

Il doit être autour de midi lorsque je demande à Fuentes de me prêter son portable afin que je puisse joindre mon père. Ma requête ne le trouble pas une miette. Il demande :

— Tu veux de la confiture sur tes rôties ?

Je suis assise au même endroit où, deux mois plus tôt, nous sirotions ensemble notre première bière, au-dessus des cendres. Septembre se pointe, l'école va reprendre. Je rentre... J'ai eu cette discussion avec lui la nuit dernière. Je lui ai dit : « Je n'y crois plus, jamais tu ne la retrouveras. » Plutôt que de me menacer d'un long couteau, il a répondu qu'il était désolé, il a baissé la tête et a posé ses mains sur ses genoux. J'aurais été sa grande sœur en train de le réprimander pour m'avoir chipé une cigarette qu'il n'aurait pas agi différemment. Il m'a offert de l'argent pour compenser, je ne l'ai pas accepté.

« Ce n'est pas de fric dont j'ai besoin... » Il a répondu :
« Je sais. » Et il m'a proposé de me conduire là où il
m'avait cueillie deux mois plus tôt avec le petit, ou, si je
préférais, il chargerait le type laid de me conduire en
taxi. Des propositions pleines de sens et d'attentions.
Des propositions qui tendent à démontrer qu'une personne ne peut pas être que mauvaise.

J'obtiens la communication, ce n'est pas toujours
évident depuis ici, au cimetière. Fuentes apporte mes
rôties. D'un geste de la main, il cherche à savoir si j'en
veux d'autres. D'un geste de la main, je lui fais comprendre que oui. Mon père décroche.

— Salut... C'est Rose.

— Rose, c'est toi ?

— Écoute, je...

— Tu as bien fait d'appeler...

— Et les porcs ?

— Les classes vont recommencer, tu sais.

Une conversation dénuée de sens mais chargée d'émotion. Nous ne parvenons pas à faire s'accorder nos réponses
avec nos questions. Je conserve mon calme en me disant
que ceci résume assez bien notre relation père-fille depuis
toujours. Pendant ce temps, Fuentes empile les rôties en
faisant ce qu'il peut pour ne pas entendre. Il en grille sans
s'arrêter, comme s'il s'apprêtait à nourrir une armée complète. Lorsqu'il le réalise, il s'arrête et en donne au petit. Ça
lui plaît tout à fait, au petit, avec ou sans confiture.

— Hélène est venue pour te voir...

— Hein?

Une bouchée en route pour l'estomac me remonte à la gorge. Une quinte de toux s'ensuit. Je postillonne partout sur l'appareil. Fuentes me regarde, le petit aussi. Mon père demande :

— Ça va, Rose?

— Ça va, merci!

Je répète à Fuentes ce que vient de me dire mon père. Fuentes semble méfiant. Fuentes se méfie toujours. Combien on parie qu'il soupçonne mon père d'inventer cette histoire dans le but de forcer mon retour? Mon père ne joue pas à ce jeu-là. S'il le dit, c'est que c'est vrai, elle s'est réellement pointée et il a dû en être le premier surpris.

— Et elle est toujours là? je demande.

— Non, elle est repartie.

— Elle t'a dit où elle allait?

— Non...

Fuentes allume une cigarette depuis le grille-pain, il me la tend du bout des doigts. Je le remercie.

— Pourquoi me remercies-tu?

— Ce n'est pas à toi que je parlais, papa, excuse-moi.

— T'excuser... Tu veux dire te pardonner?

— Non, je m'excusais. Je m'excusais de t'avoir remercié, mais ce n'est pas toi que je remercie, c'est...

— Je ne te suis plus, Rose...

Pourquoi c'est si compliqué avec certaines personnes et merveilleusement simple avec d'autres ? Je me le demande. Fuentes, par exemple, je ne lui dis rien qu'il comprend tout. Mon père : zéro. Bloomfield : zéro. Cindy : dix sur dix. Je poursuis :

— Et Cindy, tu as eu de ses nouvelles ?

— Cindy ? Cindy, enfin oui, elle a... elle a téléphoné depuis chez elle, dans l'Ouest. Elle a dit que tout allait comme sur des roulettes. Elle paraissait en grande forme, même qu'au moment de raccrocher, elle m'a encouragé, me disant qu'il ne fallait pas désespérer, que tu finirais par rentrer...

C'est bien elle, ça, j'ai pensé. Toujours là pour soutenir l'autre. Cette fille est une fleur. C'est elle qui aurait dû s'appeler Rose.

— Je rentre...

— Quoi ?

La réception fait des siennes en plein quand je décide d'envoyer la réplique finale. Saleté de satellites, pas foutus de s'aligner au bon moment. J'essaie de nouveau.

— Je rentre. Allo ? Papa ? Papa, je rentre...

— Quoi ? Qu'est-ce que tu dis ? Je ne t'entends pas très bien, là. Rose, tu es là ?

Il va raccrocher. Mon père ne supporte pas de payer pour un service défectueux. J'ai peur que mon initiative foire. J'ai peur que Fuentes change d'idée et reprenne son portable en me disant : « Arrête tes conneries... » Je ne me sens pas bien différente que lors de mon passage sur scène dans mon costume en fourrure. J'ai chaud. Je dis :

— C'est moi, l'ours, et je vais vous manger... Tu te rappelles, papa ?

Et lui :

— Maintenant, je t'entends mieux, c'est une affaire de satellites, je crois. Enfin...

Il a rien pigé de l'ours.

— Et Hélène, elle t'a dit où elle allait ? Elle a laissé son numéro ? Comment elle était ?

— Non, elle n'a rien dit de tout ça. Comment elle était ? Elle était...

Il hésite, réfléchit. Il a besoin de temps afin de soupeser la question, de l'analyser et de produire une réponse détaillée.

— Elle te rappellera, Rose. Elle a promis.

— Où ça ?

— Eh bien, ici. C'est... c'est le seul endroit. Enfin le seul numéro dont elle dispose pour te joindre. Tu comprends ce que j'essaie de te dire ?

Bien sûr que je comprends. Je comprends tout. Je comprends que ma mère s'est pointée à la ferme pour me voir alors que j'étais à sa recherche. Je comprends aussi que nous nous sommes peut-être même croisées sans le savoir, à la recherche l'une de l'autre. C'est commun comme scénario. Les gens se croisent sans se voir mais en se cherchant très fort. Faut conclure à présent.

— Je serai là, papa.

Et lui :

— Je serai là, Rose.

Je rends le portable à Fuentes qui s'empresse d'essuyer ce qui reste de la quinte de toux de tout à l'heure et des larmes qui me montent aux yeux. Ensuite, nous fumons un grand joint, après quoi nous montons tous les trois dans la voiture faire une balade à la ville. Pour la dernière fois.

Fuentes a des millions de courses à faire. Il dit qu'il veut cuisiner pour souligner mon départ. « Un grand souper. » Il retrouve un peu de sa bonne humeur derrière le volant. Sans cesse, comme pour ne pas oublier, il répète : « *Pollo, pollo.* » Moi, croyant qu'il s'agit d'une chanson de son pays dont je ne connais pas les paroles et encore moins la mélodie, je répète bêtement : « *Pollo... pollo.* » « Et des gâteaux également ! » il ajoute. Il y tient, aux gâteaux. « Pour toi et les jumelles. » Il dit aussi que son grand-père aimait bien les gâteaux. C'est la première fois que j'entends Fuentes parler de son grand-père. Il doit vivre de grands bouleversements pour parler ainsi, y a pas à dire. Et puis les vieux, jamais il en parle, Fuentes, c'est comme s'ils n'existaient pas, les vieux. Il se détourne aussitôt qu'il aperçoit une canne. Il n'y comprend rien aux vieux, Fuentes, ça se voit. Ça se voit aussi qu'il ne sera jamais vieux lui-même.

À propos de la séparation, j'ai lu un jour qu'à partir du moment où la décision de laisser l'autre devient irréversible, eh bien on se met à le voir sous un tout autre angle, cet autre. Ses défauts tenus pour acceptables jusqu'à hier deviennent soudainement intolérables. Eh bien, avec lui, c'est tout le contraire qui se passe. À présent qu'on se sépare, je ne vois plus que ses qualités. Il m'a menti, c'est vrai, mais de son mensonge est né le rêve. Les magiciens font pareil et on les applaudit. Un rêve en forme d'arc-en-ciel à un moment où tout n'était que gris et venteux autour de moi. Il m'a pris ma dignité en me montrant à poil sur le Web... Il m'a fait servir d'accompagnatrice pour les jumelles... Il a mis ma vie en danger... Ce faisant, il m'aura fait prendre conscience que j'en avais une, de vie. Il m'a rendue belle par des gestes et des paroles qu'aucun autre n'avait eus pour moi... Je n'ai manqué de rien, sinon de sommeil. Il m'a fait voir du pays, si on peut dire, moi qui ne connaissais que mon village. Jamais il ne m'a violée, battue ou menacée. Ce n'était pas nécessaire, j'étais consentante... Fuentes n'a séquestré personne, pas plus moi que les jumelles, ou encore le petit.

Fuentes n'est pas un vrai meneur! Fuentes n'est le chef d'aucun clan! Fuentes ne dirige rien ni personne! Il est seul comme un caillou parmi des milliers de cailloux semblables les uns aux autres et qui se côtoient sur un chemin aux trous béants. Il n'est grand qu'à l'intérieur de sa tête. Aux yeux de son voisin, il est tout petit avec des dents manquantes. Il jongle avec les joints comme le clown avec les balles devant son public qui lui crie : « Encore ! » Voilà de quoi se nourrit Fuentes, des « encore » lancés par ses petits lieutenants et quelques autres malheureux qu'il réussit tant bien que mal à impressionner. Il calque les vrais chefs de gang, les intouchables, sans jamais parvenir à devenir l'un d'entre eux. Il n'est le héros que des plus mal foutus que lui, les nouveaux arrivants, les faibles et les fauchés à qui il apprend ce qu'il sait, tout en leur cachant qu'il ne sait rien d'autre. Lorsque ceux-là comprennent enfin, ils s'en vont chez les vrais, les grands, ceux qui savent et qui ont des dents. Un jour il dit : « Moi, zé reste ici », et le lendemain il veut retourner dans son pays. Mais Fuentes n'ira nulle part. Nulle part ailleurs qu'ici dans son cimetière, ici où le destin s'est chargé de lui trouver le seul job qu'il sache faire à part des bêtises : concierge d'un triplex en décrépitude...

Nous roulons dans sa voiture depuis une bonne dizaine de minutes lorsque, profitant du temps d'arrêt à un feu rouge, Fuentes se penche sur moi et m'embrasse. C'est une première... Il prolonge le baiser jusqu'à ce que le feu tourne au vert et que les automobilistes à l'arrière s'impatientent, et même un peu plus longtemps. Il m'embrasse comme le ferait le garçon qui regrette le départ de la fille, juste avant que le mot « fin » n'apparaisse à l'écran. Fuentes n'est pas très doué pour les baisers. Un baiser sec, sans la langue. Cindy fait beaucoup mieux. Je me demande ce qu'en disent les jumelles si tant est qu'elles l'aient un jour embrassé. Peut-être ne font-elles que lui remettre de l'argent en gardant leurs baisers pour quelqu'un d'autre... Jamais je ne le lui ai demandé. Jamais je ne le leur ai demandé. Jamais je ne le ferai.

On se remet en route, on s'arrête à nouveau, on achète et on repart, et on répète, si bien qu'un arrêt à la maison s'impose afin d'y déposer quelques provisions, entre autres le *pollo*. Depuis qu'il a fait son entrée dans la voiture, le *pollo*, le petit ne fait que vouloir le dévorer tout cru. De retour chez Fuentes, celui-ci appelle les jumelles et les convie à une « réception ». Sans donner plus de détails, il dit : « Sept heures ce soir », et il raccroche. Et nous fumons, encore. Une musique latino joue sur son portable. Fuentes sourit, c'est déjà un peu la fête...

— Tu veux bien me rendre un dernier service ? demande-t-il.

Et il se rapproche. Assez près pour me faire penser au baiser de tout à l'heure. J'entrouvre les lèvres...

— Bien sûr, lequel ?

— Je dois rendre le Beretta... T'auras qu'à le mettre dans ton sac. Il n'est pas chargé, t'inquiète...

Pauvre Fuentes, que je me dis, non seulement l'arme qu'il trimbale pour assurer sa protection est vide, mais elle ne lui appartient même pas. Je prends le Beretta de ses mains et le fourre dans mon sac, parmi les camisoles, les culottes et les pièces du jeu de dominos qu'il tient à ce que j'emporte.

— On va jouer une partie ou deux avec les amis, il dit.

Nous partons tous les deux, avec le petit, munis de notre unique bagage, et à pied pour une fois. Le lieu du rendez-vous avec « les amis » n'est pas très loin d'où habite Fuentes. Il s'agit de la cour extérieure d'un collège, pareille à toutes les cours extérieures de collèges, avec ses paniers de basket sans filet et ses supports à vélos abandonnés en été. Pour atteindre cet endroit, nous devons traverser un joli parc aux arbres centenaires, où des enfants et leurs parents jouent et se baladent. Ce quartier est loin d'être vilain si on sait y regarder, et si on y vient de jour plutôt que de nuit. Il fait bon. J'ai le cœur léger, il contient l'essentiel. « Elle te rappellera, Rose, elle a promis... » Les paroles de ma mère dans la bouche de mon père et, exceptionnellement, au futur simple. Il s'agit d'une première. L'espoir est là, à nouveau, ainsi que l'ivresse qui l'accompagne. Un état semblable à celui dans lequel je me trouvais le jour où Fuentes m'a enlevée. Il n'y manque que l'odeur de vanille... Nous croisons un marchand de glaces itinérant, avec sa brouette et ses fanions. Fuentes veut en acheter un plein contenant pour moi... « Je vends seulement dans des cornets ou des gobelets, m'sieur ! » Fuentes dépose dans la main du garçon un rouleau de dollars bien serré. Sans se donner la peine de compter pour combien il y en a, le marchand de glace s'empresse de s'enquérir de notre préférence. « Fraise, caramel, moka ? » L'affaire se règle et nous obtenons en prime un plein sac de petites cuillères en bois.

Malgré cette ambiance de fête qu'il s'efforce de créer, Fuentes semble perturbé par l'annonce de mon départ. Plus que je ne l'aurais cru. Sans le dire nécessairement, il l'exprime d'une autre façon, plutôt maladroite d'ailleurs, en m'embrassant gauchement par exemple, ou encore en m'offrant un contenant de glace format commercial... Fuentes ne goûte pas à la glace, il fume. Je le sens préoccupé, pas à son meilleur. Je prends sa main dans la mienne et nous traversons ensemble ce parc magnifique. Le petit fait tourner les têtes. Je le tiens au bout d'une longue corde dont j'ai fixé l'extrémité à ma ceinture. Les gens veulent savoir : « Quel âge il a ? » « Qu'est-ce qu'il mange ? » « Est-ce qu'il grandira encore ? » Je m'arrête, je réponds et je raconte ses exploits comme le fait une jeune maman vantant son petit dernier. L'attention des gens me réconforte. J'offre les cuillères en bois et de la glace à tous ceux qui m'approchent. Je deviens une attraction, jusqu'à ce que Fuentes me dise : « Faut y aller maintenant. » Notre départ a lieu sous le regard d'un public conquis.

« Au revoir », disent les parents. « Au revoir », répètent les enfants.

Rose sang

Au centre de la cour du collège, Fuentes pivote de trois cent soixante degrés sur lui-même. Il examine les lieux. En fond de terrain se trouve un bâtiment de service. Un groupe de jeunes y sont à fumer et à ne rien faire.

— Ce sont pas eux, dit Fuentes, sûr de ce qu'il avance.

Nous marchons encore jusqu'à la zone d'ombre, aux abords du collège. C'est cet endroit qu'il choisit pour nous installer, sous les fenêtres grandes ouvertes d'une classe qui profite de cette journée magnifique pour changer d'air.

— Ça sent l'école, je dis.

Fuentes ne réagit pas, lui qui a toujours une réplique pour tout. Peut-être qu'il a la tête ailleurs, ou peut-être qu'il n'a jamais fréquenté l'école suffisamment long-temps pour s'en rappeler l'odeur... À l'abri du soleil et des regards, je dépose mon sac sur le sol en le soutenant par la bandoulière. Je fais bien attention à ne pas le laisser tomber brusquement sur le ciment. Ensuite, je manœuvre de façon à asseoir ma centaine et plus de kilos sur le ciment froid. Fuentes m'offre son aide, il sait que seule je n'y arriverai pas. Une fois au sol, le petit me tourne autour. Sans seulement savoir ce que renferme le contenant, il semble partant pour une collation. C'est dans la nature de ces animaux, bouffer sans savoir...

Bientôt, venu de nulle part, un garçon s'approche de nous. Puis un deuxième, et enfin le dernier du groupe. Nous nous retrouvons à cinq au total, six avec le petit. À première vue, comme ça, aucun n'a l'air menaçant. Il y en a même un qui s'accroupit pour caresser la truie et lui dire une gentillesse. À moi, il ne dit rien. Tous sont plus grands que Fuentes d'au moins une tête. C'est commun. Fuentes se retrouve régulièrement à être le plus petit du groupe. Même assis, ça se remarque. Ils allument un joint grand comme un cigare tout en se dévissant la tête pour s'assurer qu'un étranger ne se pointe pas. Un second joint circule, la rotation se fait cette fois en sens inverse, et c'est à moi qu'il revient de commencer. C'est un honneur. J'offre de la crème glacée en réponse à ce geste d'attention. J'en ai suffisamment pour tous, des cuillères de bois également. Les quatre déclinent. Ils n'en ont que pour le papier à rouler, l'herbe et le briquet. Sauf un... Celui-là ne consomme pas. Plus jeune, son père lui a cassé le nez et luxé l'épaule après l'avoir surpris à consommer. « Et je récidive dès que tu récidives à ton tour ! » avait dit le papa en abandonnant son fils à moitié inconscient. Aujourd'hui, le garçon au nez cassé ne consomme plus. Il vend seulement.

On se fait une partie de dominos et leur comportement m'étonne au plus haut point. Avec ce qu'ils ont fumé, un tel niveau de concentration tient du prodige. « Hé, hé, non, là, c'est pas à ton tour de jouer... » J'arrive à peine à jeter les dés convenablement alors que je n'ai fumé qu'une infime part de ce qu'ils se sont envoyé dans les poumons. Des poumons de mammouth ils ont, ces garçons. Et le plus étonnant est qu'ils réussissent à les cacher dans des corps maigres à faire peur. Jamais fumer de l'herbe ne m'a fait un tel effet. Au point où se ravive en moi un sentiment d'angoisse comme je n'en avais pas connu depuis un certain temps. J'en informe Fuentes et, pour finir, je lui demande :

— Tu crois que la crème glacée est en cause dans tout ça ?

Tous les quatre éclatent d'un grand rire sonore. Fuentes répond :

— Non, c'est que tu n'avais jamais goûté le mélange spécial Tony avant aujourd'hui.

Alors, celui que je tiens pour le Tony en question mord sa lèvre inférieure tout en présentant l'intérieur de sa main afin que chacun tape dedans, exactement comme le font les joueurs d'une équipe de foot dans la seconde qui suit le but. J'y pense, Tony est peut-être également celui à qui Fuentes doit remettre le Beretta. Sinon, l'arme est à coup sûr pour un des deux autres. Je les regarde se fendre la gueule comme des enfants dans une cour de récréation. Pas un n'a la tête à se trimbaler avec une arme. «Ce n'est pas à la tête que l'on reconnaît un porteur d'arme», disent les policiers. Il arrive même que ces derniers abattent par erreur la personne qui n'était pas armée... Le Beretta appartient bien à l'un de ces garçons aux visages d'anges, pas de doute. Seulement voilà, Dieu lui-même se ferait avoir par ces anges-ci.

Assise à l'ombre, le contenant de glace entre les jambes, je tremble de froid. À part le froid, je ne ressens qu'un besoin, celui de me lover tout contre Fuentes. L'effet du spécial Tony encore une fois? Peut-être, mais j'aimerais le toucher, ici, maintenant... Toucher son bras, son épaule, sa nuque, je ne l'ai encore jamais fait. À part cette fois où nous étions étendus lui et moi sur le grand lit, épuisés de nos rondes de nuit. Il avait trouvé le sommeil avant moi, s'était tourné dans ma direction puis avait glissé sa jambe entre les deux miennes, comme ça, à la recherche d'un peu de chaleur. J'avais senti son érection contre ma cuisse et je n'avais plus bougé. J'avais eu peur qu'il s'éveille. Peur aussi qu'il la perde, son érection. Et puis je m'étais laissée aller à le toucher, et encore un peu, le temps qu'il fallait pour me figurer une fois pour toutes comment tout ça était... n'était pas... J'avais beau chercher, Fuentes était défectueux, Fuentes était pareil au petit... Je n'ai jamais su par la suite s'il y avait consenti ou s'il s'était laissé porter par un rêve. Avec une autre fille peut-être, mince celle-là... Joëlle, Charlotte... Joëlle et Charlotte. Les jours suivants, je ne pensais plus qu'à ça. Je ne pensais plus qu'à lui. J'étais prise d'un désir pressant de m'en rapprocher, de toucher son ventre, de mieux le comprendre, lui et sa défectuosité. J'étais prête à lui dire que jamais je ne l'abandonnerais, quoi qu'il arrive, qu'il la trouve ou pas, ma mère.

S'accrocher à l'autre à la toute veille d'une séparation équivaut à faire marche arrière sur le quai d'embarquement. Piler sur ses croyances en laissant la peur du changement nous envahir. S'abonner à la honte pour le reste de sa vie. Pour ne plus penser à cela, je me projette dans un avenir prochain, et pas si lointain. Une affaire de quelques heures à peine. Dès que Fuentes aura rendu le Beretta. Dès que les jumelles auront mangé le gâteau. Et voilà qu'un à un m'apparaissent les éléments de la ferme. Désorganisés d'abord, plus détaillés par la suite, jusqu'à l'image complète une fois levée la brume du doute. La grange centenaire en premier, puis, dans une suite logique, la maison, les hangars... Je m'interroge également au sujet de mon père, de ses ambitions. A-t-il fait l'acquisition de nouvelles bêtes ? Comment ont réagi ses amis de toujours à l'annonce de ma fugue ? Et puis vient le vent... Comment l'oublier celui-là, le vent du village ? Charrie-t-il toujours tout sur son passage ? Y a-t-il de nouveaux venus dans les environs ? A-t-on construit un magasin, une laiterie, un foyer pour les vieillards ? Un été, mon père m'avait inscrite à un camp de vacances. Mon exil avait été de cinq semaines. Cinq semaines qui m'avaient semblé cinq ans tellement l'ennui s'était chargé d'étirer le temps. Dès mon retour, rien n'était plus pareil qu'au moment de mon départ. La lumière du jour et la teinte des bâtiments... Tout avait pâli. Le foin fauché à ras le sol faisait en sorte que je confondais un pâturage avec un autre, m'égarant à répétition à tenter de retrouver les sentiers connus.

J'en suis rendue là, dans ma visualisation intérieure, lorsque les quatre amis de Fuentes se lèvent et déguerpissent sans demander leur dû. Ils courent à fond de train comme pour remporter une victoire. Bientôt, il ne reste plus que le petit, moi et Fuentes qui récupère une à une les pièces du jeu de dominos abandonné sur le sol. Il mâchouille une formule ressemblant à ceci : « T'énerve pas... Surtout, t'énerve pas... »

La voiture s'immobilise devant moi. La roue avant gauche se retrouve suffisamment près pour que j'arrive à lire sans peine le mot « Goodyear » sur le pneumatique.

— Qui était avec toi ? lance la femme-policier une fois la vitre de sa portière abaissée.

Fuentes reste muet, doit être à se forger une réponse, celle qui lui vaudra le moins d'ennuis. C'est ce que je ferais si j'étais lui. Il retarde le moment critique tant qu'il le peut, laisse tomber au sol une pièce du jeu de dominos, la cueille, tout ceci sous le regard intéressé de la représentante de l'ordre.

— Pour la deuxième fois, qui était avec toi ?

D'un bond, elle sort de la voiture en laissant grande ouverte la portière, comme si elle projetait un retour rapide. Du coup, moi, c'est tout l'habitacle qui attire mon attention. Jamais avant ce moment je n'avais observé d'aussi près les équipements d'une voiture de patrouille. Tout d'abord, l'imposante carabine noire arrimée au tableau de bord et trônant en maître devant tout le reste. Symbole de respect, symbole de combat. Voisin de celle-ci, le portable déjà en action et diffusant les visages de garçons semblables à ceux qui viennent de prendre la poudre d'escampette. Aucun n'a la peau blanche, il est aisé de constater ce détail de l'endroit où je me trouve. Si jamais la femme-policier fait erreur sur la personne, en ce qui concerne la race, elle est en plein dans le mille.

— Qui était là avec toi ? demande-t-elle encore en spécifiant : Pour la troisième fois !

De toute évidence, elle n'en a que pour Fuentes et ceux qui ont décampé. Jamais elle ne s'est préoccupée de moi et du petit depuis qu'elle a pratiquement immobilisé sa voiture sur mes pieds.

— Fuentes ! Fuentes ! Réponds quand je te parle.

Entendre le nom de Fuentes de la bouche d'un policier me propulse immédiatement dans une autre dimension. Mais je reviens presque aussitôt sur terre, me rappelant qu'il s'agit là d'une technique d'intimidation. Les policiers, eux aussi, savent y faire sur ce chapitre. Ce qui a pour effet d'animer les échanges lors des contrôles. Lorsqu'un policier demande à un jeune récidiviste de s'identifier, l'agent peut s'attendre à une réplique du genre : « Moi aussi, je sais où tu habites... » Et pour entraver davantage le travail du policier, ce même jeune

171

pigera à son gré dans la jarre aux objections, cadeau de son avocat : ton familier ! Brutalité policière ! Profilage racial ! (Très très populaire, celle-là.) Abus de pouvoir ! Interprétation arbitraire ! Contrôle injustifié ! Charte des droits et libertés ! Droits de l'homme...

Fuentes vient de parler. Il propose une défense toute différente de celle à laquelle je me serais attendue. C'est-à-dire qu'il ne cherche pas la provocation. Pour l'heure, il affiche la tête de misère du mulet croupissant sous une charge trop lourde. Il prend la pose, dos brisé, épaules en berne, et il répond tout bonnement :

— Je ne les connais pas...

Sa mascarade ne lui rapporte pas le succès espéré. Faudra trouver quelque chose de plus inspiré pour le prochain acte. La femme-policier ne se démonte pas un brin. Des mises en scène pareilles, elle en a vu des centaines, et à plus grand déploiement. Elle se rapproche juste ce qu'il faut pour en imposer un peu plus. Et ça fonctionne en ce qui me concerne. Là d'où je me trouve, assise par terre, je dois dire qu'elle m'impressionne plus que tout à l'heure, la femme-policier. Sa prestance vient d'augmenter d'un cran. Elle apparaît plus grande qu'elle ne l'est en réalité. Plus jolie également. Un visage presque parfaitement rond, auréolé par le soleil qui vient par-derrière sa tête. Ses cheveux châtains sont parsemés ici et là de mèches rousses, le tout remonté en queue de cheval de façon à lui permettre de porter la casquette. Les femmes qui, dans l'exercice de leur fonction, se doivent de porter ce genre de casquette laissent toujours l'impression qu'elles portent celle de leur mari. Quant à moi, il en va de même pour l'ensemble de l'uniforme du policier. Je distingue l'oreillette et son cordon noir qui court depuis l'oreille jusqu'à l'encolure de la chemise, où il disparaît pour réapparaître sur la boîte de contrôle portée à la taille. Le chemisier est noir et moche. La large ceinture retient à la taille plusieurs accessoires dont je ne connais pas l'utilité, à part pour les menottes et le pistolet. Cet arsenal ne fait qu'accentuer l'expression de méfiance qu'affiche son visage. Comment pourrait-il en être autrement ?

Par la portière restée ouverte, j'entends clairement les voix depuis l'émetteur radio. Elles ne se taisent jamais, ces voix-là... Une information s'ajoute à la précédente, et encore une autre. C'est comme ça sans jamais finir. Un verbiage aux codes impossibles à déchiffrer à moins d'être des leurs. Et tout ce qui s'y dit transpire l'urgence. C'est un peu semblable à ce que l'on peut entendre de la radio d'une voiture-taxi, le drame en extra.

— Tu faisais quoi avec eux, Fuentes ?

— Rien...

Elle est à ce point près de nous que le petit la renâcle, comme il a l'habitude de le faire lorsqu'il voit quelqu'un pour la première fois. Je prends la corde entre mes mains, comme ça, histoire de contenir le petit, lui et son trop-plein d'affection pour les étrangers.

— Ça prend un permis pour garder ce genre d'animal en ville, Fuentes, tu sais ça ? C'est la loi !

Là, je deviens plus nerveuse tout à coup. Elle m'ignore toujours alors que, cette fois, c'est du petit dont il est question. Et le petit, eh bien c'est moi qui en ai la charge, c'est l'évidence! Y a qu'à regarder les deux extrémités de la corde. Si elle fait erreur en s'adressant à Fuentes alors qu'il est question de la truie, en ce qui concerne la loi en revanche, je crois bien qu'elle dit vrai.

Le temps file, Fuentes revient à la vie, une deuxième vie peut-être, lui qui semblait mort. Cette fois, c'est lui qui prend la parole, en espagnol, et elle lui répond en espagnol. De quoi ils parlent tous les deux? Je l'ignore, mais d'après le débit et les intonations, j'en déduis qu'ils sont en désaccord. Ça discute ferme. Une véritable pétarade, des deux côtés à la fois. Et puis la voici qui braque son regard sur moi. L'effet est saisissant. C'est comme si, tout à coup, je venais de lui apparaître. Elle me regarde et voit mon âme, on dirait. C'est mon impression tellement son regard est intense. Un vrai flic elle est, celle-là, avec ce qu'il faut de mépris dans l'expression pour qu'on se sente automatiquement redevable. Elle passe outre le fait que le petit soit à lui renifler les bottines. Elle se concentre sur ma personne. Puis sur Fuentes, qui fait pareil. Le voilà qui se met à me reluquer comme si j'étais une étrangère. En se dandinant d'un pied sur l'autre... Elle me pointe du menton. Il me pointe du menton.

Elle dit:

— *You're sure about that?*

Fuentes ne répond pas mais son silence a des airs de: « *Yes, I am...* »

Sans rien ajouter, elle se saisit de la corde qui nous relie, le petit et moi, et d'un mouvement brusque me l'arrache des mains. Jamais je n'aurais imaginé que cette petite femme pouvait être aussi robuste. Vraiment qu'elle l'est. J'en ai les mains meurtries. Elle me fait peur à présent. Je n'ai plus aucune combativité et mes forces m'abandonnent. Mon tour est venu de prendre les airs du mulet misérable. Elle pointe un minuscule appareil électronique en direction de sa voiture, et voilà que le coffre arrière s'ouvre. La crainte qu'elle veuille y faire monter le petit pour l'y enfermer me sort momentané-ment de ma léthargie. Je crie :

— Hé, oh, stop là !

Elle me dévisage. Ses yeux visent mon front cette fois. Plus je lève la tête et plus elle élève la sienne, si bien qu'il m'est impossible de soutenir son regard. Probable qu'elle s'attend à une nouvelle intervention de ma part. Mais je garde le silence, tentant ainsi de paraître calme et de garder le contrôle. « Surtout, t'énerve pas... » Il doit être fier de moi, Fuentes.

— Toi...

Toi, c'est moi. Alors je réponds :

— Quoi, moi ?

— Laisse-moi voir ce sac !

Impossible de continuer à jouer la fille qui contrôle la situation. Je pisse sur place si ça se poursuit.

— Qu'est-ce qu'il y a dans ce sac ?

Spontanément je dis :

— Vide...

— Vide ?

— Vide, madame...

— Alors pourquoi tu l'ouvres pas s'il est vide ?

Et là, je suis bien embêtée. Vrai... Aucune réponse ne me vient comme ça, dans l'immédiat. Si seulement j'avais l'expérience de Fuentes. Si seulement je parlais espagnol. Je suis déjà disposée à lui concéder la victoire, pareil qu'à une partie de dominos quand on ne possède plus aucune pièce. Nul doute qu'on enseigne ça aux policiers dans leurs écoles spécialisées. Pas à jouer aux dominos, mais à poser le genre de question à laquelle la réponse est une défaite ou un crime avoué.

— Fais voir, qu'elle dit, avec la ferme intention d'en finir avec cette histoire de sac.

Et c'est tout mon crâne qui me fait souffrir à présent, depuis l'avant jusqu'à l'arrière, et sur les côtés. On dirait qu'il se fend davantage à chaque battement du cœur. Quoi faire ? Pleurer ? M'évanouir ? Jeter un coup d'œil vers Fuentes même si ce n'est pas le moment ? Parler du petit ? Oui, parler au petit. Ou m'étouffer, feindre la crise de nerfs, uriner. Dire la vérité ! Prise au piège et sachant que jamais elle n'abandonnera son idée de me faire cracher le morceau, je décide de jouer d'audace, comme parfois lorsqu'il n'y a plus rien d'autre à tenter que la confrontation. Dans un geste de pure provocation, je m'empare du sac et le soulève de terre. Elle réagit aussitôt en criant, mais vraiment fort qu'elle crie, on doit l'entendre depuis l'autre extrémité de la cour du collège.

— Vide-le! Vide ce putain de sac sur le sol, tu m'entends?

Le petit se met à se contorsionner dans tous les sens. La chicane, il aime pas, le petit. S'il pouvait se boucher les oreilles avec ses moufles, il le ferait sur-le-champ, j'en suis sûre. Et en même temps, ça doit l'exciter de me voir manipuler le sac de cette façon. Le pauvre croit probablement à une distribution de friandises dans la minute à venir. La femme-policier ne fait ni une ni deux, et elle lui administre un coup de pied dans les côtes. Le petit couine comme jamais il avait couiné avant, en même temps qu'il tournoie sur lui-même comme pour échapper à la douleur. Et voilà qu'elle remet ça. Bang, encore une fois, depuis le cap en acier que cache sa bottine de policier, en même temps qu'elle m'interpelle :

— Vide ce sac, c'est un ordre!

Faut faire quelque chose avant que l'envie de le frapper de nouveau lui traverse l'esprit. J'abaisse le sac d'un centimètre à peine, comme ça, à bout de bras, en pensant que ça la calmera de voir mes yeux et qu'elle comprendra à mon expression qu'il est inutile de s'en prendre au petit. Et que oui, d'accord, le sac renferme une arme mais que cette arme n'est pas chargée. C'est Fuentes lui-même qui l'a dit.

— Bon, d'accord, mais il est pas chargé le Beretta. Ça, je le jure sur la tête de ma mère... Il est vide, regardez!

À tâtons, je fouille jusqu'à ce que je touche le métal parmi les sous-vêtements et tout ce que contient mon sac. Mes mains, mes bras et mes épaules tremblent. Mon corps entier tremble, et puis je pleure aussi. Je pleure de crainte que le petit ne s'en remette jamais. Et je souris... Comme une pauvre idiote, je souris pour faire bonne impression. On m'a appris les bonnes manières... Je veux qu'elle sache, je veux qu'elle me croie sur parole. Je suis une bonne fille, grosse et honnête. Mais des sourires sur les visages des meurtriers, elle en a déjà vu, la femme-policier. Je ne vais pas l'attendrir avec ça. Et puis ce sourire-ci doit être franchement ridicule à voir. Vraiment. Je me demande si un jour je cesserai enfin de faire pitié. Elle a déjà dégainé la sienne, d'arme. Même qu'elle la pointe dans ma direction et que je suis sa cible. Il n'y a plus à en douter. Elle tient l'arme d'une seule main pendant que de l'autre elle contrôle l'animal qui s'agite et désespère de pouvoir prendre la clef des champs.

— Sors tes mains de là-dedans! Vide ce sac sur le sol! C'est un ordre!

La femme-policier montre des signes d'inquiétude. «Tu verras, les flics ont peur eux aussi...» Ça me revient soudainement.

— Il est vide. Le Beretta est vide, je le jure.

La respiration saccadée de Fuentes vient jusqu'à mes oreilles. Ou la sensibilité de mon ouïe se trouve décuplée par la peur, ou Fuentes est en hyperventilation. Il ne me reste plus qu'à obéir à la femme-policier avant que tout bascule et tourne au drame. Personne, ici ou ailleurs, n'a besoin d'un drame pareil à celui qui se dessine là, sous mes yeux. J'ouvre le sac en le secouant énergiquement de manière à ce qu'il se vide, quitte à ce que le Beretta s'abîme au sol. Fuentes comprendra. Fuentes comprend tout. Fuentes à qui le Beretta n'appartient même pas... Ça y est, maintenant l'arme est en chute libre avec mes effets personnels, dans une séquence au ralenti comme on en voit dans les films d'action. L'arme se détache des autres éléments et tourne sur elle-même comme l'astronaute en apesanteur, crosse vers le haut, crosse vers le bas. En arrière-plan, l'image trouble de la femme-policier qui l'a dans la mire. Un ballet se joue sous mes yeux. Malgré la peur, je suis parfaitement consciente d'assister en direct à un événement exclusif. Des opérés du cœur décrivent de pareille façon le moment précédant l'anesthésie, sur la table d'opération, entourés du doute et de l'inconnu. Se trouvent alors réunis la peur, la curiosité, et pour finir l'abandon total. L'événement est d'une telle intensité que le bon sens est inutile pour le décrire. Tout ceci est absurde. Tout ceci est.

Elle laisse tomber la corde grâce à laquelle elle retenait le petit et se cramponne à deux mains à son pistolet, bras tendus à l'extrême. À partir de maintenant, elle s'interdit toute parole, de manière à ce que le geste soit parfait de précision. Et paôf!

Au moment précis où le Beretta touche le sol, la déflagration est claire, nette et assourdissante. Un bruit terrible. Un bruit qui rend sourd, qui rend fou, qui fait mal. Le son du coup de feu est porteur de malheur, toujours. Les animaux et les hommes courent se mettre à l'abri dès qu'ils l'entendent. Les moins chanceux tombent avant même d'avoir tenté un pas dans une direction ou dans une autre. La détonation, une fois réverbérée par les murs des bâtiments voisins, repasse en boucle dans ma tête. Comme une chanson qui s'installe mais qu'on ne veut plus entendre. Une chanson meurtrière. Je prends soin de ne pas ouvrir les paupières. Me réfugier dans l'obscurité la plus complète me réconforte. C'était pareil dans la grange centenaire. Voilà que me prend l'envie de hurler. C'est plus qu'une envie, c'est un besoin. Je hurle à pleins poumons, mais j'accouche d'un tout petit hurlement, je n'ai plus de souffle... Et il fait un tel vacarme, là, dans ma tête, que le mince filet de voix est aussitôt masqué par des sifflements soutenus. Quelque chose comme des milliers de bouilloires sur des milliers de feux ardents. En chœur. L'effet est terrible à entendre, et d'une telle force. J'ai le sentiment qu'en se collant l'oreille à la mienne on peut l'entendre. J'essaie encore, avec des mots cette fois. Je dis :

— Le Beretta n'est pas chargé, madame... Pouvez me croire.

Une toute petite voix. À peine une voix, un filet enseveli sous les sifflements des bouilloires enragées. J'ai peur.

— Ta gueule ! Tire-toi !

C'est la voix de Fuentes, je la reconnais. Je la reconnais malgré qu'elle soit plus aiguë qu'à l'habitude et malgré mon ouïe amochée.

— Dégage, Rozé ! Fous le camp d'ici...

Je veux bien, oui, belle idée, mais j'en suis incapable, je suis incapable du plus simple geste. Il y a une cassure quelque part entre le cerveau et le corps. Aussitôt lancé l'ordre de me lever, l'information se perd. Je me retrouve pour finir paralysée et à demi sourde. Fuentes dit encore autre chose. Il parle de sang, cette fois. C'est bien ce qu'il dit, oui. « Du sang partout... » Et puis j'ai mal. J'ai très mal. Une brûlure dans la poitrine. La douleur est si intense qu'elle me force à ouvrir les paupières. Je la vois alors, la femme-policier. Penchée sur moi. Son visage, ses cheveux, son badge, ses yeux... Exorbités, ses yeux. Elle touche ma poitrine, ça brûle encore plus fort.

Fuentes a disparu. La femme-policier ne l'a pas pris en chasse. Non plus qu'elle n'a tenté de vider son chargeur sur lui, à distance. Il n'y a plus qu'elle et moi, à présent, et la truie. Elle, moi, la truie, et un immense vide... Le vide qui vient immanquablement après la tragédie, un vide durant lequel on se demande comment les choses ont pu en arriver là. Lorsqu'il se pointe, ce vide-là, toujours il est trop tard. Celle qui, l'instant d'avant, gueulait des ordres et pointait son arme dans ma direction s'est transformée en un ange bienfaiteur. Il ne lui manque que les ailes. Le petit s'approche pendant qu'elle se tient penchée sur moi. Ça m'apaise de l'apercevoir celui-là, tout plein de vie... Le son des sirènes au loin se mélange à celui des bouilloires. La femme-policier rentre le menton et parle depuis le microphone miniature fixé au col de sa veste. Elle dit : « Positif... individu... féminin... » C'est peut-être pas grand-chose pour certains, «positif... individu... féminin...», mais dans les circonstances actuelles, moi, ça me réconforte. Je dis:

— Mes oreilles vont mieux, merci.

Je jette un bref coup d'œil à l'entourage immédiat. Pas très loin d'où nous sommes, au sol, l'arme de la femme-policier nez à nez avec le Beretta... On dirait qu'ils font connaissance. Toujours par terre, plus près cette fois, le contenant de glace qui déverse son contenu. Le coulis pâle s'étire jusque sous mon corps. Le petit s'y trempe le groin. Mes jambes s'agitent sous moi. Mes jambes s'agitent malgré moi. La femme-policier observe la scène d'un air perplexe. Ça n'a pas l'air de la rassurer, des jambes qui giguent sous un corps inerte. À présent, le petit lui renifle la nuque, et puis l'oreillette. Gageons qu'il entend la voix d'un confrère policier qui demande: «Ça va? *Are you okay*?» Les porcs ont l'oreille fine.

La femme-policier tente une manœuvre... D'une main, elle écarte le contenant de glace, puis appuie un genou contre le sol et pose ses mains contre ma poitrine, à l'endroit exact où ça brûle. Ensuite, elle appuie de tout son poids. Elle masse, je ne réagis pas. Elle masse toujours. Je voudrais l'aider. Jamais de toute ma vie je ne me serai sentie plus inutile que maintenant. Elle veut faire vite, ça se voit, mais tout se déroule au ralenti, comme souvent dans les cauchemars. Son visage est rouge, ses lèvres sont blanches. Elle apparaît déjà moins jolie que tout à l'heure. Elle a repris un peu de l'expression de colère qu'elle avait plus tôt. Un jet de sang lui gicle en plein visage. Et en voilà un autre, sur sa veste cette fois... Je l'entends dire : « Elle va mourir. » Elle ne l'a pas dit au microphone, non, c'est à elle-même qu'elle a fait cet aveu. Tout juste sous mon sein gauche, le sang fait irruption par soubresauts. Une mare a déjà commencé à se former autour de nous. Une mare rouge vif. Méfiant, le petit prend une distance. Sans attendre plus longtemps, la femme-policier enfonce un index dans le trou par lequel pisse le sang... Un truc que j'ai moi-même vu un jour à la télé, chez mon père, un homme qui en sauve un autre en procédant de cette façon. Le sang s'arrête net de fuir. Le cri des sirènes se rapproche. Les renforts s'amènent à pleine épouvante. Ça ressemble à une belle finale, tout ça. Cela la calme un peu, le cri des sirènes. Je l'observe pendant qu'elle souffle et que la sueur perle sur son front. J'examine le visage, le badge, l'épinglette sous le badge. « Suarez H. » « H », c'est pour le grade ou le prénom ? Peu importe, dans une situation comme celle-ci, un grade n'est pas plus utile qu'un prénom. Et si c'était « H » pour « Hélène » ? Que Fuentes avait bel et bien livré la marchandise et qu'ensuite il s'était éclipsé, pareil au père Noël après la distribution des étrennes ?... J'essaie de parler. Mes lèvres produisent des bulles plutôt que des paroles. Des bulles rouges comme le sucre d'orge en ébullition. Pas de mots. Que des bulles. Elle agrippe encore une fois le microphone miniature et le porte à sa bouche. Cette fois, elle dit : « Code 4 », et une goutte de sueur quitte son nez pour atterrir sur le mien. Pauvre femme-policier, elle en a du mérite... Seuls les policiers et les médecins sont de cette trempe-là, je l'ai toujours su.

Le pâle coulis de crème glacée et de sang prend la forme d'un petit lac en amont de mon corps inerte. Même qu'il ruisselle sous le soleil. Ça peut être agréable à regarder si on veut, un petit lac rose. Des canaux se forment et tendent vers l'extérieur. On dirait les pattes d'un crabe. Le crabe s'étire. Malgré le doigt de Suarez H. dans mes chairs, je me vide toujours. Il doit y avoir un second orifice quelque part. Une plaie qu'il serait bon de colmater au plus vite avant que je me transvide au complet. Mais d'abord, faut le trouver, ce trou. Et Suarez H. en a déjà plein les bras, et ce n'est pas peu dire. Elle n'abandonne pas pour autant. La voilà qui manœuvre afin de me soulever. Elle me roule d'un côté, me roule de l'autre, tente de localiser la fuite...

On dit que dans la minute qui suit la mort, le corps s'allège du fait que l'âme s'en détache. Eh bien elle est toujours là, mon âme. À voir forcer la femme-policier, il n'y a pas à en douter. Elle se crève, la pauvre. Par la gauche. Par la droite. Elle doit être à se dire : « Mais qu'est-ce qu'elle a comme âme, cette jeune-là ! » N'empêche, avec le crabe qui étend ses pattes toujours un peu plus et les sirènes qui n'en finissent pas de s'annoncer sans que personne ne débarque, va bientôt falloir se rendre à l'évidence, elle tire à sa fin, ma vie. La mienne, tout comme celle de mon père... Jamais il ne s'en remettra de celle-là, le pauvre.

J'arrive enfin à dire quelque chose.

— Je suis désolée...

Je reconnais les mots, je ne reconnais pas la voix. Elle est déjà celle d'une autre. Une mourante. C'est la première fois que j'assiste à une mort en direct. J'avoue qu'on se sent seul. Mes parents me manquent ! Les parents commencent à manquer aux enfants dès le jour où ils décident que ces derniers ont moins besoin d'eux. Les parents sont là à la naissance. Le jour de la mort ils y sont plus rarement. Puis cette idée qui refait surface, l'idée que cette femme est ma mère. Et plus j'y crois plus j'arrive à me convaincre que partir en sa compagnie est une grâce, une chance que plusieurs n'auront jamais. Je m'abandonne à une certaine sérénité. Tout projet d'essayer de me lever d'ici est abandonné illico. Je m'allonge un peu plus, je me détends. Sous mon corps, les liquides souillent ce qui s'y trouve, vêtements, peau, cheveux. La femme-policier a cessé ses manœuvres, elle s'en tient à l'observation, l'index toujours fourré là où elle l'a mis quelques minutes plus tôt. Ça n'a pas l'air de battre très fort dans ce coin. Ma poitrine est presque immobile. L'effet de brûlure s'atténue. Mes jambes ont cessé leur gigue...

Comme un vieil ami, le petit s'approche à nouveau. S'il en était capable, il dirait : « Au revoir, on se reverra... » La femme-policier pose une main sur le flanc de l'animal, là où plus tôt elle l'a frappé. C'est tellement mieux comme ça, faire la paix plutôt qu'entretenir la haine. On ne le répétera jamais assez. La truie se vautre tout contre moi. Qu'est-ce qu'on est bien ensemble, toutes les trois, à regarder les nuages changer de district, tout doucement, de la gauche vers la droite... Je n'entends plus que le vent dans les arbres. Le ciment ne me gêne pas, le coulis non plus. La femme-policier approche sa tête de la mienne et m'embrasse. Ma mère m'embrasse... Elle appuie contre ses lèvres la médaille qu'elle porte au cou et prononce une phrase en espagnol. Chaque parent devrait le faire, s'étendre sur le pavé d'une cour d'école en compagnie de son enfant, et lui raconter ses premiers jours. « Tu étais comme ceci. » « Tu étais comme cela. » « Tu avais toujours faim. » « Ton premier tricycle était rouge. » « Ton premier cerf-volant aussi. » « Ton père était un de ces garçons naïfs qui, pour se protéger, érigent des forteresses autour d'eux. » « J'étais en total désaccord avec lui sur la façon dont il voulait décorer notre premier appartement. » « Parce qu'il recherchait la chaleur, le gros chat gris que nous avions adopté avait pris l'habitude de se coucher sur toi. Ton père craignait qu'il t'empêche de respirer... »

Au moment où la vie quitte les hommes, tous expriment à peu de chose près les mêmes préoccupations. Les gens qui accompagnent les mourants le savent. Ils vous le diront. Cela s'appelle l'essentiel. Et l'essentiel ressemble à ceci :

Je t'aime...

M'aimes-tu ?

Je te pardonne.

Me pardonnes-tu ?

Merci...

Bien peu de chose, au fond, l'essentiel. Des mots simples que l'on garde pour soi quand tout est fini. Alors qu'ils servent si bien à faire vivre...

— Je ne savais pas que nous avions adopté un gros chat gris...

— Répète un peu ça, tu veux bien ?

J'ouvre les yeux. La scène est irréelle. Je dis de nouveau :

— Je ne savais pas que nous avions adopté un gros chat gris...

Face à moi, un policier casqué et vêtu pour aller à la guerre. La guerre aux extraterrestres. Sans me quitter du regard, il lance à l'intention d'un de ceux qui se trouvent derrière : « La fille est toujours vivante ! » Et je me demande si je dois me réjouir ou non d'être cette fille-là. Le policier parle à nouveau. « Ça nécessite la civière d'appoint. » Et pour s'assurer d'être bien compris, il ajoute : « *The large one.* » Puis encore ceci, cette fois pour moi toute seule :

— Ça va aller, on s'occupe de toi.

Partout. Ils sont partout, debout sous les arbres, appuyés contre les voitures. Certains font le guet pendant que d'autres érigent un périmètre de sécurité à l'aide de longs rubans jaunes. Et pas la moindre trace de la femme-policier. Je voudrais bien savoir. Je concentre toutes mes forces, toutes mes énergies et je dis :

— Elle est où ?

Le policier :

— Qui donc ?

Et moi :

— Ma mère...

Lui :

— Elle se repose.

Avec ce qui me reste de vie, je lui offre un sourire.
Je dis :

— Moi, c'est Rose.

Et lui :

— Je sais...

Eugène

À l'osto... débranchée de quelques jours seulement, je reçois une lettre d'Eugène que j'ai le plus grand mal à lire à cause de ma tête qui me fait souffrir à cause de mon cœur qui s'emballe.

« *Ton père avait ton âge lorsqu'il rencontra ta mère, quatorze ans. Tous les deux vivaient dans le même quartier, et j'y vivais moi aussi. Il ne lui plaisait pas, à ce qu'elle racontait, alors que lui faisait savoir à qui voulait l'entendre qu'elle était la femme de sa vie et qu'il allait l'épouser. Plus tard, il quitta la ville pour compléter ses études. L'éloignement dura trois ans, et durant ce temps ils ne se revirent à peu près pas. Lorsqu'il revint, il ne la trouva plus. Elle avait abandonné ses études et mis le cap sur Vancouver. Bon nombre de jeunes faisaient pareil en ce temps-là, histoire de changer d'air, l'air de l'Ouest canadien était celui qu'il faisait bon prendre à cette époque.*

Mais elle avait d'autres raisons de vouloir s'éloigner. "Je n'appartiens à personne. Personne ne m'appartient", répétait celle qui allait devenir ta mère. Qu'est-ce qu'elle était belle ! Ses cheveux, son sourire et ses yeux semblables aux tiens... Je veux que tu saches cela.

Elle trouva un emploi comme serveuse dans un restaurant. Travailler à la dure pour des gens méprisants était devenu le mot d'ordre pour ceux de notre génération. La vie avait peut-être été trop facile jusque-là. Expérience de vie signifiait "en baver un coup", et puis cela faisait quelque chose à raconter aux amis. Je lui envoyais des lettres, et encore des lettres, et elle une brève réponse, à l'occasion. De sa situation là-bas elle écrivait : "J'en ai marre", mais elle s'interdisait malgré tout de rentrer au pays. Ça me tuait de la savoir malheureuse. Je l'aimais. Elle ne m'aimait pas. Elle était à l'emploi d'un groupe de restaurateurs asiatiques qui s'étaient donné pour mission de s'approprier l'île de Vancouver en vendant des sushis et des tours à bureaux. Ils y sont parvenus. Pour ta mère, ne rien posséder constituait la plus grande richesse. Un vieux vélo tout au plus, et qui rouillait à l'attendre enchaîné au balcon chez sa mère. Ne dépendre de personne, et ne pas avoir de terre d'attache. Certains appellent cela liberté.

De retour après trois années d'études, ton père se mit à ses trousses. Il questionna chacun de nous à la manière d'un enquêteur. Je l'observais, en retrait, tentant de déceler la faille qui l'engloutirait, lui et son projet. Mais je n'en trouvai aucune. Ton père allait bel et bien s'emparer d'elle, et que je sois d'accord ou non n'allait rien changer à ses plans. Oui, ton père possède le pouvoir de s'emparer des gens! Mes chances ne valaient rien contre celles d'un garçon possédant une telle détermination. D'ailleurs, amis comme ennemis, peu de gens étaient de taille à lui tenir tête. Voilà pourquoi je priais pour qu'elle ne rentre pas. Je priais tout en grattant ma gale, lentement, obstinément, tentant d'apprivoiser la souffrance, incapable de toute autre action. J'aurais pu sauter dans le premier avion et aller la rejoindre. Je savais où elle se trouvait, lui n'en avait pas la moindre idée. Mais quelque chose me retenait de le faire. Quelque chose comme un amalgame de révolte, de crainte et de lâcheté. Elle aurait été là, j'aurais été là au même endroit. Elle en train de lutter pour sauver sa liberté, et moi... moi tout disposé à n'être que l'ombre de son ombre. Et puis peut-être m'aurait-elle tout simplement chassé. "Fous le camp et retourne d'où tu viens, il n'y a rien pour toi ici..."

Pendant que me figeais, ton père, lui, s'organisait en bon guerrier qu'il est. Il ne croyait pas un mot du discours d'Hélène quant à sa décision de ne jamais remettre les pieds ici, pas plus qu'il ne croit jamais rien de ce qu'il n'énonce lui-même. Il disait: "Elle revient d'ici six mois, combien tu paries?" Il en était si convaincu qu'il était disposé à gager le montant du remboursement de ses prêts étudiants. Comme à l'habitude, personne n'osa se présenter contre lui à la table des paris, et il remporta la mise. Ton père n'a jamais pris la peine d'expliquer aux autres ses décisions. Jamais. Soit on se rangeait derrière lui, soit on perdait son amitié. That's it. "Pourquoi?" "Parce que!" Là s'arrêtaient les éclaircissements.

Bientôt, sans que personne ne saisisse la raison de son geste, Hélène quitta son emploi, empocha ses économies et acheta un billet de retour par le premier train. Elle avait soudainement réalisé qu'il était son homme. C'est elle-même qui me l'a dit, un jour, devant une tasse de café brûlante sur laquelle j'avais refermé mes mains temporairement insensibles à la douleur. J'avais tenté de rester cool au moment où elle disait avoir ressenti "quelque chose de grand" lorsqu'ils s'étaient revus tous les deux. Je l'avais quittée ce jour-là en l'embrassant et en lui souhaitant tout le bonheur qu'elle méritait, pendant qu'intérieurement je dressais la liste des nombreuses divergences qui, selon moi, les mèneraient à leur perte commune. Elle désirait plusieurs enfants. Un seul lui suffirait. Elle rêvait de vivre à la campagne. Son cœur à lui ne battait qu'à la ville. Elle insistait pour qu'ils se marient à l'église. Ton père était non croyant...

Si tu savais ce que je serais prêt à donner pour la revoir. Pour l'instant, mon seul réconfort est dans la relation que je maintiens avec ton père. L'entendre parler d'elle, même en mal, m'est préférable au silence, tu vois. Il y a de la graine de victime dans cette affirmation, je le sais, d'ailleurs je l'écris en éprouvant un terrible malaise. Voilà où j'en suis. Le condamné qui tente un rapprochement avec son bourreau dans l'unique but d'entendre parler de la vie une dernière fois. Juste un mot, un nom, Hélène...

Maintenant, je te demande de brûler cette lettre et de ne jamais dire à ton père que je t'ai écrit. Il me tuerait...

Eugène »

Enquête préliminaire et procès

On dit que fumer de l'herbe tous les jours durant une longue période, jumelé à la prise d'amphétamines, détériore la mémoire de façon irréversible. Pourtant, je me rappelle avec précision la plupart des détails de ces longues journées à la cour. Les sédatifs que l'on m'avait fait prendre à l'hôpital avaient peut-être été responsables de ce regain subit.

Cette période avait duré soixante-deux jours, soixante-deux jours durant lesquels plusieurs personnes étaient venues donner leur opinion à propos de la délinquance chez les jeunes de ma génération, ainsi que suggérer les moyens à prendre pour l'éradiquer à jamais, de manière à ce que les générations futures soient mieux foutues que la nôtre. Soixante-deux jours de témoignages, dont celui de mon père.

Plusieurs acteurs, tel ce petit homme chauve d'une cinquantaine d'années, expert en balistique et en plein d'autres choses, venu à la barre pour affirmer que j'étais bien la dernière, sinon la seule personne à avoir manipulé l'arme dans la minute précédant l'accident. La femme-policier n'y était pour rien. Il avait martelé : «Accidentel», tout en jetant des coups d'œil dans le coin des avocats de Suarez H. Après quoi, il avait plié bagage et s'était retiré, d'aucuns s'étonnant davantage encore qu'à son arrivée de sa petite taille une fois redescendu de la tribune.

Puis il y avait eu les autres. Des gens que je ne connaissais pas et qui ne me connaissaient pas eux non plus, mais qui semblaient porter le poids de mon drame sur leurs épaules. Comment cela était-il possible ? Tout d'abord parce que bon nombre d'entre eux étaient des travailleurs sociaux et des psychologues qui avaient choisi de faire de mon cas un exemple clinique. Les juristes, quant à eux, avaient parlé de jurisprudence. Enfin.

On nous avait fait visionner une vidéo dans laquelle des parents étreignaient le policier qui avait assassiné leur fils quelques mois plus tôt. Certaines séquences me reviennent encore à l'occasion, comme autant de polaroïds qu'il me faudrait mettre en ordre pour en faire un montage, sans que j'y parvienne jamais. Non seulement les parents lui pardonnaient son acte, à celui-là même qui leur avait pris leur rejeton, mais ils l'accueillaient comme leur propre fils. «Dieu le veut ainsi», disait le papa à la caméra. «Dieu le veut ainsi», reprenait la maman.

La scène suivante mettait en vedette les membres d'un petit groupe de cinq garçons de mon âge incarcérés pour meurtre. L'un d'eux avait abattu un flic à l'aide de l'arme de ce dernier. Les autres n'avaient fait que tabasser le corps sans vie après l'agression et avaient été jugés coupables à leur tour. Aujourd'hui, ils acclamaient celui qui avait fait le coup. « Il est notre héros ! Il a toute notre admiration ! On lui remet la palme jusqu'à ce qu'un autre fasse mieux et qu'il en tue deux d'un seul coup de feu. » À tour de rôle, ils proposaient leur candidature. « Si on veut bien me laisser sortir quelques heures ! » Ils s'esclaffaient, et leurs rires déments avaient pris en otage la salle d'audience au complet. Au même moment, une guitare speed métal assurait la transition avant une autre vidéo présentant cette fois un officier de police de la section Jeunesse qui, depuis qu'il avait descendu un adolescent au cours d'une intervention ayant mal tourné, n'avait plus jamais été capable de traverser une seule journée sans que des hallucinations viennent le hanter. « Je suis à table avec les miens, nous nous apprêtons à manger, quand soudain la poitrine de mon fils de neuf ans éclate en mille morceaux... » « Je dépose ma fille à l'école le matin, et soudain les autres bambins l'agressent à l'arme blanche. » Il suppliait tous les saints de mettre fin à cette torture en continu, exhibant à la cour le crucifix retenu à la chaîne qu'il portait au cou. Sa femme l'avait quitté. Maintenant sous lourde médication, il buvait.

La séance terminée, certains avaient griffonné sur des tablettes pendant que d'autres ne faisaient rien ou montraient des signes d'impatience. Le juge avait donné ses directives, on s'était échangé des documents... J'avais le sentiment d'assister à un service funéraire qui dure depuis presque deux mois. Une cour de justice est un endroit où l'avenir n'a plus d'avenir...

Mon père avait également livré un témoignage chargé d'émotion. Une déclaration tout en songe et en doutes. En doutes quant à lui, principalement. Il avait tenté malgré tout d'avoir l'air calme, comme à l'habitude, pour m'aider à reprendre confiance en moi. Du moins, c'est ainsi que je l'avais compris, faisant tout en mon pouvoir pour garder espoir. Il avait peu parlé en comparaison des autres, des parents de Fuentes surtout, qui, venus de Montréal alors que je les croyais en Colombie, ne faisaient que se plaindre des conditions qu'on leur imposait. Ils clamaient également que tout ceci n'était pas leur faute... Non plus que celle de leur fils... Que la société était la grande responsable de tout ce bordel. Au commentaire émis par le juge : « Mais la société, c'est aussi vous », ils avaient choisi de ne pas répliquer, feignant de ne pas saisir de quoi il retournait. Fuentes, depuis son box, ne regardait pas plus ses parents qui tentaient de le sortir de là que le juge qui, on aurait pu le croire, tentait l'inverse. En fait, Fuentes ne regardait personne, il ne faisait qu'être là puisqu'on l'y forçait. Forcé à écouter ses parents pour une fois.

Je me souviens le cirque, je me souviens la mascarade. Rien ne destinait leur fils chéri à finir ainsi, lui promis à un si bel avenir... Deux parents réconciliés pour l'occasion, ça sautait aux yeux, et qui, main dans la main, tentaient de se frayer un passage parmi les journalistes et autres voyeurs venus les accueillir chaque matin, tout le temps qu'avaient duré les procédures. Mascarade aussi que l'attitude de leurs avocats, s'objectant, contestant et semant le doute sur tout ce que disaient les autres juristes. Cirque également, le père et la mère tentant de faire bonne figure et de démontrer qu'ils savaient être là quand il le fallait. Puis, après un certain temps, la farce n'avait plus fait rire personne, et ils avaient fini par craquer. Dans une longue interview accordée à un quotidien du coin, ils s'étaient exprimés librement sur les vrais responsables des agissements de leur fils. Il y en avait sur tout un paragraphe : « Le transport en commun. Les loisirs. Le Web et la télé. L'environnement. La publicité et le sexe. Les drogues douces. Les drogues dures. L'argent. Le sel. Le rock. L'alcool. Les congés rémunérés. Le bulletin scolaire simplifié. Le coût de l'essence. Les prestations familiales. Le virage à droite. La malbouffe dans les écoles. Le cellulaire. *The Simpsons*. Le port du string chez les adolescentes. La caféine et les boissons énergisantes. L'âge du permis d'apprenti conducteur. Les symboles religieux. Les sports extrêmes. Le sucre raffiné. La garde partagée... » L'article avait fait son chemin, et ces deux-là s'étaient retrouvés du jour au lendemain ambassadeurs de centaines d'autres papas et mamans pour qui l'éducation d'un enfant tient du mystère autant que de la catastrophe. Ils avaient dû s'absenter durant de longues journées pour se rendre à des émissions de radio ou à des rencontres de quartier. Tout ça pendant qu'à la cour, leurs avocats multipliaient les requêtes pour faire annuler la déportation de Fuentes vers son pays d'origine, exigeant ni plus ni moins que l'on oublie tout ça et que chacun rentre chez soi comme si de rien n'était.

D'un côté du pupitre, le juge se grattait la tête. De l'autre, les parents de Fuentes se signaient, comme ils l'avaient fait à chacune de leurs présences à la cour. Dieu puisse-t-il leur venir en aide. Quant à Fuentes, quant à moi, nous attendions dans nos coins respectifs, pareils aux pugilistes avant que ne tinte la cloche. Mais au lieu d'une cloche, il y avait eu le coup de maillet, et le juge avait annoncé que l'affaire était terminée. Il nous a invités tous les deux, Fuentes et moi, à faire une brève déclaration, si besoin il y avait. Fuentes avait réagi le premier et fait signe que non. Pour ma part, j'avais déroulé à l'aide de mes deux pouces le papier que je gardais depuis le premier jour dans ma poche dans l'éventualité d'une pareille occasion. «*Les parents sont pareils à des esprits qui planent au-dessus des enfants tout en les laissant se blesser à mort...*», il y était écrit. Le juge avait attendu patiemment ma réponse. «Non», avais-je enfin dit d'une voix teintée par la timidité, comme souvent avec les obèses alors qu'on s'attend à un timbre et une puissance dignes de l'éléphant. Sans autre forme, il avait condamné Fuentes à retourner dans le pays qui l'avait vu naître, lui rappelant qu'il lui serait interdit à tout jamais de remettre les pieds dans ce pays-ci. Quant à moi, compte tenu de mes fugues précédentes, il m'avait condamnée à entreprendre un stage de six mois en milieu surveillé. Il avait conclu en disant que la séance était levée, et il m'avait souhaité la meilleure des chances. À Fuentes, il n'avait rien souhaité du tout.

«Levez-vous», avait scandé la greffière, et l'assemblée s'était exécutée. Pour ma part, j'y étais parvenue après tout le monde, et avec peine, tout en lenteur et en effort. Il était impossible à quiconque avait des yeux dans cette salle de ne pas remarquer que mon embonpoint était égal à mon désarroi. Je me mouvais lentement, comme un ours sortant de sa tanière après un long hiver. Je n'agissais pas ainsi dans l'intention d'attirer la pitié du juge, non, jamais, et il aurait été bien tard pour pareille fantaisie, j'agissais de la sorte parce qu'il m'était tout à fait impossible de faire autrement. La vitesse n'est pas l'affaire du poids lourd. Escortée par des officiers de service, j'avais quitté la salle sous le regard de toutes et de tous qui, en observant la scène, s'étaient interrogés, j'en suis certaine. «Mais que peut-il bien se passer dans la tête de celui qui éprouve une jouissance à regarder une fille pareille se vautrer à poil dans des draps de satin?»

Pour finir, mon avocat m'avait rejointe et il m'avait affirmé que tout se passerait bien, qu'il fallait garder le moral... Il m'avait aussi confié qu'aux derniers jours des audiences, un groupe de vieillards s'était présenté et avait demandé à être admis dans la salle. Mais on leur en avait refusé l'accès. C'étaient les vieux de Répare-Tout. Ils désiraient témoigner en ma faveur, de ma sagesse lorsque j'avais huit ans.

Les vieux n'oublient pas...

Cahier au plomb

Je noircis une à une les pages d'un cahier Hilroy. Je m'applique à ce que le blanc disparaisse complètement de la surface de chacune des feuilles. Je trace, j'assombris, je retouche au centimètre près portraits et croquis. À l'occasion, j'interromps mon geste pour inscrire des réflexions. Mes pensées se structurent. Je dors mieux. Mon corps se transforme.

Les moniteurs du Centre jeunesse recommandent cette thérapie à tous les pensionnaires. À mon arrivée, j'ai demandé à en être exemptée. Et puis, à voir le sourire des autres lorsqu'ils relevaient le nez de leurs copies, j'ai eu envie de sourire à mon tour.

Pensée 1

Je mens... Tu mens... Il ment... Nous mentons... Vous mentez... Ils mentent. Je mens pour me protéger... Je mens pour être crue... Je mens pour être aimée, puisque dire la vérité mène trop souvent à l'inverse.

Pensée 2

Lorsqu'il me parle de mon avenir, mon père, il dit «indépendance financière», il dit «autonomie», il dit «petit coussin à l'abri de l'impôt»... Lorsqu'il me parle de mon avenir, mon père, c'est du sien qu'il s'agit.

Pensée 5

Plus j'écoute et plus j'écris. Plus j'écris et moins je parle...

Pensée 14

Y a du bon à tirer du mal que nous font nos parents : apprendre à faire différent d'eux...

Pensée 87

À deux pas de moi, un couple. Sur un trottoir achalandé ils s'enlacent avec passion. Plus loin un second couple, celui-là en pleine dispute... La réaction des passants est identique : à la vue de chacun des deux couples, ils poursuivent leur chemin, imperméables au bonheur comme au malheur d'autrui.

Pensée 112

Ils sont là tous les cinq, mon père et ses amis, à bavarder et à argumenter... Je sais ce que signifie le mot «divorce». N'empêche, ça me fait une impression étrange d'entendre parler de séparation alors que je les ai encore jamais vus réunis, mes parents.

Pensée 375

Je l'observe à distance, il ne sait pas que sa fille le regarde... Je l'observe à distance, je trouve à mon père des allures de gamin triste.

Pensée 622

Les courriels cachent si souvent l'essentiel qu'il me vient à l'esprit que l'inventeur de ce procédé est le roi des hypocrites...

Pensée 711

De temps à autre, tout se dérègle. De temps à autre, tout se met en place. Y a rien à faire contre, y a rien à faire pour. C'est la vie qu'est ainsi faite.

Je crois... Tu crois... Il croit... Nous croyons... Vous croyez... Ils croient... Et quand on ne croit plus, c'est que c'est la fin.

Le Centre jeunesse

— Enfin te voilà !

Les mots carillonnent d'un bout à l'autre du corridor principal ; celui que les pensionnaires n'empruntent qu'à deux reprises au cours d'un séjour ici, une fois lorsqu'ils arrivent, une fois lorsqu'ils repartent, « avec des valises moins lourdes au départ qu'à l'arrivée... » prétendent ceux de l'accueil. Telle une poignée de billes lancées avec fougue sur un plancher de bois, les paroles de mon père irritent les pensionnaires comme les visiteurs. Les plus discrets échangent des regards embarrassés pendant que les autres dévisagent froidement celui qui vient d'élever la voix. Ils attendent une suite qui ne vient pas.

Mon père et moi sommes assis face à face, peinards, pareils à deux voyageurs dans l'attente d'un départ imminent. La grande horloge accrochée au mur indique onze heures et une minute. Ses aiguilles et ses chiffres sont noirs comme le charbon, ils contrastent avec le jaune éclatant des murs. Du jaune il y en a partout ici. C'est pour le moral, lui faire voir autre chose que le *bleu* et le *noir*, au moral. Un autre contraste encore, tout aussi flagrant que le jaune et le noir, celui-là tient à la tenue vestimentaire des visiteurs et celle des pensionnaires. Les premiers portent un costume de ville, les seconds déambulent en jeans et T-shirt, ils ont aux pieds des espadrilles sans lacets.

L'endroit ressemble à n'importe quel autre endroit de même utilité. Peu importe le lieu où il est érigé, un Centre jeunesse est un Centre jeunesse, avec ses animateurs, sa cafétéria, ses chambres et sa cour extérieure sécurisée. Celui-ci date de l'époque où la brique et le mortier constituaient un incontournable en matière de revêtement extérieur. Probablement un ancien couvent, l'effort d'imagination n'est pas bien grand pour se représenter les membres d'une congrégation traînant la savate d'une pièce à l'autre. Les couloirs sont hauts de plafond, trois hommes debout sur les épaules des uns des autres peuvent y tenir. Les lourdes portes assurent l'intimité de chacune des salles lorsqu'au besoin, thérapeutes et jeunes s'y retrouvent. C'est à l'intérieur de l'une d'elles que pensionnaires et parents nous retrouvons aujourd'hui. Des chaises ont été déposées les unes face aux autres et par groupes de quatre, on espère ainsi favoriser les échanges... À l'écart, des patères solitaires attendent les vêtements des visiteurs. Plus souvent qu'autrement elles restent nues comme les arbres à

l'automne, les visiteurs préférant déposer leurs vêtements à même le dossier de leur chaise pour s'assurer,
peut-être, un départ plus expéditif. Moins cérémonial.

Avant même que ne débute le dialogue, le tourment
s'installe chez les occupants. Celui qui reçoit ne sait pas
par où commencer alors que celui qui rend visite anticipe déjà le mot de la fin. On se toise de part et d'autre,
pareils à des rivaux, à savoir lequel initiera les échanges.
Mon père se lance le premier :

— Tu sais, ce scénario de film que j'étais à écrire,
dans lequel je raconte la vie...

— ...

— Eh bien je viens tout juste de le terminer...

— ...

Par ce préambule insolite, mon père veut me faire
comprendre quelque chose. Mais quoi ?... Alors qu'il en
est à sa toute première visite ici, celui qui disait « mon
film sera terminé lorsque mes jours le seront » serait-il
en train de m'annoncer sa mort prochaine ? Je lui trouve
une tout autre allure que celle qu'il avait lorsque nous
vivions sous le même toit. Son teint est gris, ses joues
sont creuses. Des signes qui, lorsqu'ils n'annoncent pas
la fin, font craindre une dépression. Malgré l'inquiétude
qu'inspire son état, je ne trouve rien d'apaisant à lui dire.
Rien sinon ceci :

— J'appréhende mon retour au village.

— Laisse-moi te raconter...

Sa réplique m'autorise à croire qu'il n'a pas entendu la mienne. Je répète :

— J'appréhende mon retour au village, papa.

Pour la seconde fois, il fait fi de mon commentaire et poursuit :

— Ça raconte notre vie à tous les deux, Rose...

Son visage se fige... J'attends, le temps que cette paralysie passagère l'abandonne. Mais elle dure. Elle s'étire au-delà du temps que dure habituellement la réflexion juste avant l'aveu. Puis il se met à pleurer... et à pleurer, et à parler tout en pleurant.

— Tout ce temps où j'assistais aux procédures... à observer ces inconnus qui te questionnaient... eh bien c'est moi que je voyais, Rose. Tes longs silences étaient les miens lorsque j'avais ton âge... Tes procureurs étaient les préfets de discipline de mon collège. Le juge, mon directeur. D'ailleurs, ce bâtiment-ci est une réplique exacte de l'endroit où j'ai été pensionnaire durant ma jeunesse... Ça m'a donné un choc tout à l'heure lorsque je suis entré. Je ...

Il pleure toujours... davantage que l'instant d'avant.

— Ça m'est revenu d'un coup, Rose. La brique, les planchers de bois, les gens, et puis moi... moi énorme dans ce temps-là. Je faisais près de cent cinquante kilos à cette époque. Le savais-tu ? Je me suis toujours gardé de t'en parler bien sûr, mais quelqu'un aurait pu te l'apprendre... Tu sais comment sont les gens lorsqu'il s'agit d'ébruiter une vérité qui n'a de mérite que si elle est tue à jamais... Et puis j'aurais sûrement mieux fait de tout te dire moi-même, je... je m'en excuse.

Il couvre son visage de ses mains et bascule la tête vers l'avant jusqu'à ce que son front touche ses genoux. On nous observe, plus ou moins discrètement. Ses épaules sautillent au rythme des spasmes que commande sa peine. Il marque une pause, se redresse :

— Cent cinquante kilos d'angoisse et de tourments à déplacer d'un endroit à l'autre. On m'appelait le mammouth. J'étais le plus fort de l'école en plus d'être le plus lourd. Je m'en faisais comme un point d'honneur. On me donnait à porter des caisses de livres qu'il fallait distribuer d'une classe à l'autre. Je m'exécutais sans rechigner. L'institutrice de musique, madame Smith, de qui j'étais secrètement amoureux, me demandait à l'occasion de repositionner le piano au-devant de la classe. Les autres me regardaient faire en silence. J'aimais à croire qu'ils admiraient ma force. Les pauvres peinaient à soulever leur sac d'école. Les filles de mon quartier demandaient que je les escorte une fois la nuit tombée. Je m'offrais également pour réparer leurs bicyclettes, les porter sur mon dos au moment de traverser une mare d'eau. De cette manière je prenais la part d'affection qu'il m'était impossible d'obtenir autrement. En effet, qui se soucie d'offrir de la tendresse à un mammouth... Puisque j'avais des aptitudes pour les études, mes parents avaient décidé de me faire pensionnaire. Mon frère et ma sœur étant moins doués que moi, la responsabilité de faire grimper la moyenne intellectuelle de la famille reposait essentiellement sur mes épaules. Une épreuve dont je me serais passé volontiers. Même qu'il m'est arrivé plusieurs fois de souhaiter être le dernier des imbéciles. Mais ce n'était pas le cas, plus le temps passait et plus je devenais performant... et repoussant. Supporter ma propre image dans la glace avant d'aller au lit était un supplice. J'en étais traumatisé pour les heures à venir. Je n'en dormais plus. Dès le moment du retour en classe, une épreuve de plus m'attendait. Dix-huit sur vingt de moyenne dans chacune des matières imposées. Rien pour m'attirer la sympathie des autres qui peinaient sans y arriver ; et dont les corps étaient normaux. Je reprenais alors le rôle du « gros sympathique », que je jouais avec brio, et je m'efforçais de réintégrer les rangs. Et voilà qu'un beau jour le dessin débarque dans ma vie... Le trait, droit, courbe, hachuré, pointillé... La musique d'une mine de plomb contre le papier texturé. Le dessin comme une caresse. Des dizaines et des dizaines de croquis exécutés à toute vitesse et à tout moment, même en pleine classe alors que les autres sont à écrire. Moi j'arrivais à assimiler la matière tout en dessinant. Plus encore que ne l'avait fait ma force, le dessin m'apportait une certaine forme d'admiration de la part des autres élèves. Croquis, portraits, caricatures... Élèves, professeurs, membres de la direction. Mon travail plaisait. Je donnais mes dessins plutôt que de les vendre. J'avais du succès. Je prenais les commandes ; un tel, le directeur des études, madame Smith que je gratifiais d'une généreuse poitrine et de longues jambes. Un jour qu'elle était tombée sur son portrait, elle était venue jusqu'à moi pour me féliciter... Sa main sur mon épaule, j'avais senti son parfum, et cette journée était devenue la plus belle journée toute de ma vie... Bientôt le père responsable des arts plastiques me prenait sous son aile. Cet homme était un véritable artiste, Rose... Les yeux qu'il peignait étaient si vrais qu'on aurait pu voir avec... Des frissons parcouraient mon corps à force de regarder les champs enneigés qu'il reproduisait. Moi et quelques autres de ses préférés passions nos temps libres à son atelier. Véritable refuge de l'artiste. Un endroit à l'écart, quelque part dans les soubassements du collège, à deux pas de la chambre aux fournaises. Le soir venu, le bon père éteignait les néons, leur préférant des lampes d'appoint qu'il disposait sur les longues tables. « Dessinez avec le cœur ce que les yeux ne peuvent voir », nous chuchotait à l'oreille la silhouette glissant derrière chacun de nous. Je dessinais mieux de jour en jour, les autres m'appréciaient de plus en plus. Mais voilà qu'un soir je me présente à la porte du local et je constate que celle-ci est condamnée. On a ajouté à la serrure permanente un loquet supplémentaire qu'un cadenas géant mord férocement. La rumeur circulait qu'un événement s'était produit au local du bon père... Un accident ? Quelqu'un avait été blessé ? Je cherchais à savoir et à comprendre. Mais plus je demandais et moins on se montrait disposé à me dire. Jusqu'à ce que la rumeur se mette à circuler que le bon père s'était fait prendre à caresser un de ses préférés... Et moi, je...

Il s'arrête net. Cette fois il ne pleure plus, il tousse et s'étouffe. Je crois qu'il va vomir... Il crache dans un mouchoir qu'il replace après dans une poche de son pantalon en disant « je suis désolé, Rose » et il poursuit :

— La direction du collège avait interdit toutes discussions en rapport avec l'événement. Rien de mieux pour que tous les étudiants ne parlent que de cela. Tous en parlaient mais jamais en ma compagnie... Il suffisait que je m'amène pour que tombent les sourires et qu'on ne discute plus que de la pluie et du beau temps. J'étais soudainement devenu invisible... On ne me voyait plus malgré mes cent kilos et quelque. Malgré ma force et mon succès de dessinateur vedette, on ne m'adressait plus la parole. Quelque chose venait de se briser entre eux et moi, sans que j'en connaisse la raison. J'avais terminé l'année scolaire exclu de tout et de tous. J'étais perdu... J'avais abandonné les portraits, plus personne n'en voulait. Mes résultats scolaires chutaient, je prenais du poids. J'ai agonisé de la sorte jusqu'à la fin des classes. Fin juin, mes parents sont venus me chercher. Je les revois, discutant dans la cour extérieure avec le préfet de discipline... Mon père agitait une feuille de papier dans tous les sens, ma mère se tenait à l'écart, et le préfet de discipline montrait le ciel du doigt, l'air de dire : « Lui là-haut, il a tout vu. » Ma mère me fit signe de les rejoindre. J'obéis, traînant mes bagages avec peine pour la première fois de ma vie. Arrivé à la voiture de mon père, celui-ci me remit la feuille qu'il tenait du bout des doigts comme un vêtement sale. Un croquis. Illustration maladroite, beaucoup moins réussie que ce que j'aurais pu faire. Sans style, grossier, impitoyable. Un garçon énorme penché sur une bite s'échappant d'une soutane.

Puis il marque une pause, regarde autour de lui comme s'il prenait soudainement conscience de ses paroles.

Et il se gratte la tête à l'aide de son poing, vigoureusement, comme s'il s'éveillait à l'instant et cherchait à repousser le cauchemar qui l'assaillait quelques minutes plus tôt.

La cloche annonçant la fin de la période des visites retentit. Mon père semble à la fois surpris et honteux. Surpris que je ne lui aie pas parlé de moi. Honteux de ne pas m'en avoir donné l'occasion... C'est maintenant toute la salle qui s'agite. Papa se lève, ses mains tremblent au moment de récupérer son paletot sur le dossier de sa chaise. Il repousse maladroitement celle-ci en faisant crier les pattes contre la surface de linoléum. Ensuite il place cette même chaise de manière à ce qu'elle forme, en compagnie de trois autres, un ensemble harmonieux favorable aux échanges... Tour à tour, les visiteurs du samedi quittent le local. Les uns derrière les autres ils empruntent le corridor principal, s'éloignent, puis disparaissent à l'extérieur. Un courant d'air frais s'engouffre dans le long corridor, il se fait sentir sur les pieds à demi nus des pensionnaires. Si certains frissonnent et battent en retraite, d'autres restent sur place à regretter que le froid ne les gèle pas tout entiers.

Sous un crachin frisquet qui annonce l'hiver, c'est d'un pas rapide que mon père rejoint sa voiture. Il porte dans le cœur et la tête une charge si lourde qu'à chacun de ses pas, ce cœur et cette tête risquent de se fendre.

Une fois sanglé sur son siège, il grille une cigarette pendant que tourne le moteur. Les vibrations de l'engin lui procurent de l'apaisement. C'est mon explication. Je reste un moment à la fenêtre de la cafétéria à l'observer. C'est la première fois que je vois mon père fumer. Puis il exécute les manœuvres de marche arrière, marche avant, et part en empruntant le chemin bordé de cèdres bleus, celui-là même qui l'a vu arriver une heure plus tôt.

Cindy me rend visite

Elle est là, devant moi. Je la reconnais tout à fait. Même fille, même beauté, même tempête à l'intérieur. Son absence des derniers mois m'a fait souffrir. J'aimerais lui en faire part mais l'expression renfrognée de ses parents m'en dissuade. J'ai bien peur que dans de pareilles circonstances, nos retrouvailles n'aient lieu que pour la forme. Les traits de son visage sont toujours aussi beaux, malgré un regard plus triste qu'avant. Sa bouche invite encore et toujours à un baiser. Une mèche rebelle retombe sur son front après chacune des tentatives de la remettre en place. Une gestuelle bien inoffensive, mais qui fait comprendre que Cindy n'est pas de celles qui abdiquent, et que notre amitié perdurera peu importe le temps que durera ma détention, ou la sienne. Reine de beauté, elle m'examine des pieds à la tête et je me sens rougir. Je fixe mes espadrilles privées de leurs lacets. Je n'ai pas l'habitude de ces regards-là. Faudra m'y faire ; nous voilà deux à nous partager la couronne à présent.

Ses parents dans leur rigidité font penser à deux sentinelles escortant un dangereux récidiviste. Tous deux ont considérablement vieilli. Ils sont laids. Laids, vieillis, rigides... Le demi-sourire obligé qu'ils affichent exprime l'arrogance alors qu'ils visent à démontrer leur fierté. Fierté d'avoir su rattraper au vol celle qui se destinait à basculer à son tour dans le précipice. Je sais trop bien que la victoire à laquelle ils prétendent n'est en réalité qu'une défaite maquillée. Et que les plus profonds gouffres guettent davantage les parents que leur fille.

Ils sont là devant moi, tous les trois, à portée d'une accolade et d'une bise... Un tout petit pas suffirait... Un tout petit pas que nous nous interdisons de franchir, tout bête que cela puisse être. Une carte postale aurait été plus appropriée que cette visite aux allures de retrouvailles avortées ; une illustration sans âme, de celles que l'on retrouve à la boutique d'une gare, un mot imprimé à l'endos. Un mensonge de plus.

— Ici, tout se passe à merveille...

Épilogue

Après deux années de réclusion, on m'autorise enfin à rentrer chez mon père. Au village, presque plus personne ne me reconnaît. J'ai à mon tour beaucoup de mal à reconnaître ceux d'autrefois. Vingt-quatre mois et un peu plus ont suffi à transformer l'apparence de tous et chacun, y compris la mienne. Les kilos qui autrefois menaçaient ma santé ont disparu, résultat de nombreux changements apportés à mon hygiène de vie. Comme par miracle, mes seins et mes fesses ont conservé ce qu'il faut de tissus adipeux pour me rendre désirable aux yeux de tous et de toutes. Mes cheveux autrefois indomptables tombent sur mes épaules aussi parfaitement qu'un vêtement griffé tombe sur celles d'une célébrité. Je suis blonde aujourd'hui, semblable à la poupée qu'avaient un jour modifiée pour moi les vieux de Répare-Tout. J'enfile des jeans hypermoulants, identiques à ceux que portent les filles les plus sexy de la planète. C'est à mon tour de faire tourner les têtes lorsque je déambule le long du chemin. Les autres filles n'ont d'autre alternative que de marcher à mes côtés afin qu'on les remarque. Je suis en demande, mon portable en témoigne en sonnant sans relâche.

J'ai repris mes études en y mettant le temps et la détermination nécessaires à l'obtention d'excellents résultats, c'est-à-dire au-delà de la moyenne. Mes professeurs, tout comme les quatre amis de mon père, ne cessent de m'encourager à poursuivre sur cette voie. Il en va tout autrement des habitants du village, ceux-là m'observent de leur fenêtre comme on guette un chien errant. Leur attitude suggère qu'il aurait mieux valu que je ne revienne pas.

Le commerce Répare-Tout a dû fermer ses portes en raison d'une contamination des sols. Un legs peu honorable de l'ancienne occupante des lieux, la pétrolière, en même temps qu'un des rares problèmes à n'avoir pas été résolu par les vieux débrouillards. Au village, on raconte qu'ils se sont battus jusqu'à la toute dernière énergie, mais que devant le zèle dont ont fait preuve les responsables de l'environnement, ils n'ont eu d'autre choix que de se rendre. L'environnement est manifestement dans l'air du temps, et ses soldats bien résolus à faire entendre raison aux plus réfractaires, sans égard à leur âge. « Magouille politique », entonnent à l'unisson mon père et ses amis lorsqu'on leur demande de s'exprimer sur le sujet. Les vieux artisans, ceux qui vivent toujours, font état des dernières heures de leur boutique sur un ton à la fois taquin et nostalgique : « En fin de compte, la politique verte aura saccagé le projet le plus écologique de la région ! »

La truie est avec nous. Elle énorme, moi toute menue. Elle s'ébat dans un enclos dernier cri où rien ne manque au confort du porcin moderne. Une compagne partage son logis, une chèvre au pelage tacheté de noir et de blanc. Jamais la chèvre ne s'éloigne de la truie, et vice-versa, et leur complicité toute bête soit-elle constitue à mes yeux un idéal de vie à deux.

Mon père a lui aussi quelqu'un dans sa vie, une femme prénommée Jane. Jane se serait pointée à la ferme il y a de cela un an. Sollicitant du travail pour la saison estivale, elle n'est jamais repartie. Jane est jeune et jolie. Elle soigne la dépression de mon père. Mes rapports avec elle sont des plus convenables. Comme quoi un jeune n'est pas fatalement condamné à détester le nouveau conjoint de son parent.

Pour m'amuser j'ai mis en ligne un test visant à évaluer le comportement des parents envers leurs enfants. Quelque chose à mi-chemin entre l'examen pour l'obtention du permis de conduire une automobile et le détecteur de mensonge. Ma publicité dit ceci : « *Il est étonnant de constater qu'un certificat est nécessaire à déplacer un tas de ferraille sur la voie publique, alors que guider un enfant ne requiert aucune exigence de la part d'aucune instance.* » Tous mes amis disent beaucoup de bien de mon projet, leurs parents beaucoup moins, le jugeant frivole et sans fondement.

J'ai obtenu le mien, de permis de conduire, ainsi que l'autorisation de me rendre à la ville une fois semaine au volant de la voiture de mon père. Ainsi, tous les lundis, dans la cohue d'une clientèle tapageuse et parmi les odeurs de fritures, c'est dans un petit restaurant réputé pour son service rapide et ses mets à emporter que je patiente jusqu'à ce qu'elle arrive. Un endroit plus chic n'ajouterait rien au bonheur d'être là pour *elle*. Elle entre que personne ne la remarque. Personne à part moi. Elle n'est pas femme à rechercher l'attention. Sa discrétion ne calme pas mon cœur pour autant. Il bat à se fendre et une énergie capable de me propulser au ciel se propage en moi dès qu'elle s'avance dans sa robe jaune. Ni grosse, ni renfrognée, pas plus que flanquée d'une cigarette au bec ou affligée d'un air débile. J'avais tout faux dans mes suppositions nourries de craintes. Faux quant au contenant, faux quant au contenu, comme souvent lorsque le mal-être se charge de chambouler la raison.

Une femme semblable aux autres femmes, valsant en solitaire entre ses questionnements et la mélancolie. À la fois heureuse de me retrouver, et chagrinée d'être celle qu'elle est.

Les mères donnent la vie, ensuite elles s'inquiètent. Elles anticipent le meilleur pour ceux et celles qu'elles font naître, et devant l'évidence qu'ils ne l'obtiendront pas, elles se désolent et commencent à mourir. J'ai compris cela au gré des semaines et de nos rencontres. Cela et bien d'autres choses aussi. J'ai compris son mutisme. L'importance de se taire alors que la terre entière converse. Accoudée devant moi, le menton dans les mains, elle laisse filer le temps, comme s'il n'était bon qu'à cela. Tantôt elle me regarde en souriant, tantôt elle sourit sans me voir. Les silences de ma mère me disent ce que les plus sages paroles de la plus sage des femmes ne peuvent enseigner : les parents qui parlent peu sont ceux qui en disent le plus.

Tais-toi donc encore un instant, maman, s'il te plaît... Ne me dis pas ton enfance, tes parents, ce que tu fais pour passer le temps... Ne me dis rien du pays de tes rêves, de celui où tu aimerais vivre, de là où tu te vois mourir... Résiste à me dire ce qu'il faut faire lorsque ceci, lorsque cela... Ne me dis rien à propos des croyances, des sciences, du désespoir et de la malchance. Ne me dis pas qu'expirer dans l'atmosphère réduit le volume d'oxygène sur terre... Ne me dis rien de ce qu'il est utile de savoir pour durer ou pour partir... Ton besoin de soleil et ta crainte qu'il te brûle à mort... Ne me dis pas l'Afrique, l'Antarctique... L'esprit, le corps, tes seins, les miens... Ne me dis pas Jésus-Christ, ses apôtres, le pardon, la faute... Ce qui te fait envie, ce qui te déçoit... Le nom de tes collègues ou celui de tes patrons... Si tu préfères les filles aux garçons... Le chant de l'oiseau, celui de la cigale, combien tu chantes faux, combien tu entends mal... Ne me dis rien de la théorie du mouvement ou de l'arrêt, le principe de l'ajout ou du retrait... Le tout, le rien, comment, combien... Ne me dis pas l'essence de ton parfum, tes projets de voyage, tes préférences en maquillage... Ne dis rien qui concerne l'échec, la réussite, les amants et la taille de leur bite, ta maison, tes voisins, c'était hier, ce sera demain, ce que tu fais la nuit, ce que tu fais le jour... Ne me dis pas les grandes victoires, les faux combats, les belles histoires, il était une fois... Tes rencontres, tes regrets... La honte de n'avoir rien su dire lorsque cela comptait... Ne me dis pas le désir, l'abstinence, tes plaisirs et tes romances... Ne me dis rien à propos du bien paraître et de ce qui épate... Ne me dis pas la chance d'être née, peu importe la date...

Ne dis rien. Sois ma mère.

Table